WANDELGIDS
Grebbeliniepad

Rhenen - Spakenburg

Bert Rietberg

Uitgeverij Waanders

Inhoud

Gebruik van de gids

Een verborgen linie

Wandelen in de Grebbelinie heeft iets geheimzinnigs. Overal liggen de sporen van tweehonderd jaar vestinggeschiedenis, maar ze liggen wel verborgen in het groen. Deze wandelgids wil de geheimen van de linie met u delen, want meer weten, betekent meer zien! Langs het wandelpad komt u voorts op vele plaatsen informatiepanelen tegen, die u attent maken op markante plekken in de linie. De provincie Utrecht, het Utrechts Landschap, Staatsbosbeheer en het Waterschap Vallei & Eem bieden op deze manier extra informatie over cultuurhistorie, natuurontwikkeling en water.

Thema Grebbelinie

Het themapad is een doorgaande wandelroute langs de vele werken, sluizen, forten en kazematten van de Grebbelinie. Een belangrijk deel voert langs de oude liniedijk, maar er zijn tevens 'uitstapjes' door Veenendaal en Amersfoort. Vooral de gebeurtenissen in de Tweede Wereldoorlog hebben ervoor gezorgd dat de dorpjes en steden in de Gelderse Vallei enigszins vergroeid zijn geraakt met de historie van het verdedigingswerk. Deze gids belicht daarom ook de relatie tussen de plaatsen en de linie. Een korte schets van dorp of stad laat zien wat ze nog meer te bieden hebben.

Toegankelijkheid

Hoewel het thema uitgaat van cultuurhistorie is het tevens een echt natuurpad over veelal onverharde paden. Jaargetijden en het weer hebben dus invloed op de begaanbaarheid en de toegankelijkheid van delen van de linie. De meeste wandelingen zijn daarom ongeschikt voor

minder validen. Honden zijn niet toegestaan op de liniedijk tussen de Langesteeg en de spoorlijn.

De routebeschrijving

Het Themapad Grebbelinie is opgedeeld in dertien 'stappen' van 4 tot 10 kilometer. Het pad is in twee richtingen beschreven. Bovenaan de rechterbladzijde vindt u het teken ➜. Hier vindt u de beschrijving van het pad dat begint in Rhenen en de richting aangeeft naar Spakenburg. Daaronder staat ←, hetgeen betekent dat dit de route is die uiteindelijk naar en over de Grebbeberg leidt. Een enkele keer wordt een alternatieve route op de kaart aangegeven. Deze route nodigt u uit om een werk van de linie te bezoeken en dan weer terug te keren op het doorgaande pad.

Achtergrondinformatie

Aangezien de wandeling over een themapad voert, kunt u in deze gids veel achtergrondinformatie verwachten over de objecten van de linie. Gaandeweg ziet u steeds vaker terugkerende elementen, zoals wederopbouwboerderijen, kazematten en aarden verdedigingswerken. Zo bouwt u al wandelend veel kennis op over de historie van het gebied. Alle deelroutes worden vooraf gegaan door thema's die actueel zijn tijdens de wandeling.

De Gelderse Vallei op de kaart van 1840

Kaarten zijn bijna onmisbaar voor wandelaars, maar ze hebben tevens waarde voor mensen met belangstelling voor historie. Door deelkaarten uit 1840 toe te voegen aan de beschrijving van de dorpen en steden krijgt u niet alleen meer inzicht in de relatie tussen plaats en linie, maar kunt u tevens heden en verleden vergelijken. De Gelderse Vallei maakte zich halverwege de negentiende eeuw op voor veranderingen, zoals de aanleg van de spoorweg Utrecht-Arnhem en het omleidingskanaal bij Veenendaal. De meeste veranderingen zouden echter nog honderd jaar op zich laten wachten zoals het graven van het Valleikanaal en de aanleg van de eerste snelwegen. Voorstellen van de kaartenmakers zijn in 1840 ingekleurd met geel.

Wanneer we het vergelijken met moderne kaarten, kunnen we vaststellen dat lang niet alle plannen zijn uitgevoerd. De kaart is afkomstig uit het Nationaal Archief in Den Haag, waar deze wordt bewaard bij de Oorlog Situatie Kaarten (OSK) met nummer G22a.

De Markering

Het themapad Grebbelinie is gemarkeerd met een vignet die bestaat uit twee dwarse strepen onder elkaar in de kleuren blauw en groen. De kleuren verwijzen naar de historie van de linie die met water en groen verbonden is. De markeringen komt u vooral tegen op punten waar twijfel over de route zou kunnen bestaan; doorgaans dichtbij kruispunten of splitsingen. De markeringen zijn aangebracht op nieuw geplaatste palen, maar ook op bestaande lantaarnpalen en hekken. Op de liniedijk zijn minder markeringen, omdat de route eenvoudig is te volgen. Desondanks vindt u er een paar herinneringstekens. Op

www.grebbelinie.nl

een aantal plaatsen zijn kruistekens geplaatst. Hiermee wordt aangegeven dat u die route niet moet volgen, aangezien de betreffende weg doodloopt of van de doorgaande route afwijkt. Uiteraard worden de markeringen ondersteund door de routebeschrijving en de route-lijn op de kaarten in dit boekje. Wanneer er veranderingen zijn in het veld kunt u het beste de markeringen blijven volgen. Eventuele routewijzigingen kunt u terugvinden op de website www.grebbelinie.nl.

Ontwikkeling

De route is klaar om de wandelaar te verwelkomen. Toch is de Grebbelinie volop in beweging. Het projectbureau SVGV werkt hard aan de beleefbaarheid van de linie. Er zijn tevens tal van initiatieven van ondernemers en historische verenigingen om lokale en nationale geschiedenis aan recreatie te koppelen. De Stichting Grebbelinie in het vizier, Stichting De Greb en de Stichting Grebbelinie houden zich bezig met rondleidingen en publicaties op internet. Samen met de Provincies Utrecht en Gelderland, Waterschap Vallei & Eem, Staatsbosbeheer en de gemeenten langs de linie komt de geschiedenis van de Grebbelinie steeds beter boven water! Tenslotte willen we graag wijzen op de jaarlijkse Grebbeliniedag in het voorjaar. Een uitgelezen mogelijkheid om de linie (beter) te leren kennen!

Geschiedenis van de Grebbelinie

De Grebbelinie (1745-1926)

De Grebbelinie is een van de drie grote Nederlandse waterlinies. Samen met de Nieuwe Hollandse Waterlinie en de Stelling van Amsterdam moesten de versterkingen in de Gelderse Vallei het rijkste en machtigste deel van Nederland beschermen.

De Gelderse Vallei was in het Salien ontstaan door een grote ijsmassa, die de stuwwallen van de Utrechtse Heuvelrug en de Veluwe had gevormd. Het dal van de vallei was nu precies het geschikte vochtige gebied dat in de achttiende eeuw nodig was om een militaire waterbarrière te vormen.

Door water in te laten uit de Neder-Rijn zou een waterlinie gemaakt kunnen worden tussen Grebbeberg en Spakenburg. Uit onderzoek in 1701 bleek echter dat het water van de Neder-Rijn in de zomer meestal te laag stond. Menno van Coehoorn bedacht een serie fantastische oplossingen, waaronder een dam in de rivier en duikers die het water van de Waal onder de Rijn door naar de Gelderse Vallei zou brengen. Het uitvoeren van de peperdure ontwerpen ging te ver voor de Nederlanden die balanceerden op het randje van bankroet.

Terwijl de militaire ingenieurs de plannen voor een Grebbelinie van zich afschoven, werkte men elders aan een oplossing. Door het graven van het Pannerdens Kanaal (1701-1709) stroomde er voortaan meer water door de Neder-Rijn en het waterpeil steeg voldoende om in 1744 te besluiten dat de linie alsnog gemaakt kon worden. Vanwege de Oostenrijkse Successieoorlog was er haast bij, Franse legers naderden het Nederlands grondgebied.

Tekening van het Hoornwerk aan de Grebbe, dat tot de oudste delen van de Grebbelinie behoort.

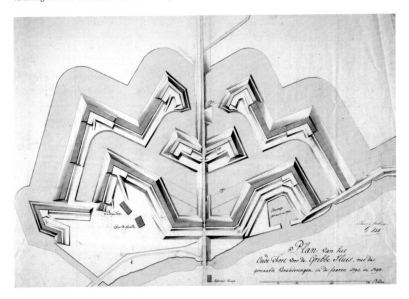

7

Allereerst moest de Grebbesluis geschikt worden gemaakt om als inundatiesluis te dienen. Vervolgens werden de plannen van Menno van Coehoorn uit de kast gehaald, die als basis dienden voor een min of meer definitief ontwerp van Directeur der Fortificatiën Bernard de Roij. In 1701 was men al tot de conclusie gekomen dat de Gelderse Vallei moest worden verdeeld in inundatiekommen, om het binnenstromende water vast te kunnen houden. Sluisjes zouden het water keren en in het verlengde van de sluis werden kaden aangelegd om te voorkomen dat het water om de sluis zou stromen.

Tussen de Slaperdijk bij Veenendaal en de Slaagse Dijk ten noorden van Amersfoort werd in 1745 de Grebbeliniedijk aangelegd. De dijk was in de eerste plaats een waterkering, zodat er slechts inundatiewater nodig was voor de oostelijke zijde. Het eigen leger kon daardoor aan de droge kant vrij bewegen, terwijl de vijand door de inundatie moest proberen te naderen hetgeen geen gemakkelijke opgave was. Om een inundatie te stellen, waren slechts enkele decimeters water nodig. Te ondiep om doorheen te varen en te diep om eenvoudig te doorwaden. De aanvaller was tevens in het nadeel omdat deze zich niet kon ingraven, terwijl de verdedigers zich konden opstellen achter de aarden borstwering op de liniedijk. De kracht van de aarden wallen ten opzichte van kwetsbare stenen muren was dat kogels in de dijk smoorden. Er waren langdurige beschietingen nodig om een bres te schieten in een aarden verdedigingswerk. Wanneer de inundatie breed genoeg was, was de liniewal bovendien onbereikbaar voor het vijandelijk geschut.

Er waren ook plaatsen die zo hoog lagen, dat deze droog bleven tijdens een inundatie, zoals heuvels en dijken. Deze zogenaamde accessen werden afgesloten met forten, torens en andere versterkingen. De linie beleefde overigens niet haar verwachte vuurdoop tijdens de Oostenrijkse Successieoorlog; de vrede werd in 1748 getekend.

In de tweede helft van de achttiende eeuw werd de Grebbelinie stapsgewijs versterkt tot de eerste krachtproef zich in 1794 aandiende. Het Franse leger baande zich voor de tweede maal in twee jaar een weg naar ons land. De Grebbelinie werd geïnundeerd en tweehonderd kanonnen kregen een plaats op de wallen. Strenge vorst deed de inundaties echter bevriezen en het Britse hulpleger dat was neergestreken in de linie koos het hazenpad. Het geschut viel in handen van de Fransen zonder dat er een schot was gelost.

Tijdens de Franse periode werd de linie met instemming van de bezetter verder uitgebouwd tot in de Neder-Betuwe. Hieraan kwam een einde in 1809, toen de linie werd overgedragen aan Waterstaat. Men groef de werken niet af, maar liet ze onbeheerd achter. De verdedigbare torens vervielen tot ruïnes en werden afgebroken.

Ondanks dat de linie werd opgenomen in de Vestingwet van 1874 resulteerde dit niet in belangrijke verbeteringen. In 1926 werd de linie als verdedigingswerk opgeheven. Het leek er op dat er zich nooit meer iets van belang in de Grebbelinie zou afspelen.

De Valleistelling (1936-1940)

Jarenlang lag de Grebbelinie er verlaten bij tot de verdedigingslijn in 1936 opnieuw de belangstelling wekte van de militairen. De bescheiden waterlinie in de Gelderse Vallei kreeg namelijk meer betekenis toen duidelijk werd dat er een Valleikanaal zou worden gegraven. Hoewel het kanaal bedoeld was voor waterafvoer kon het tevens dienen als een ononderbroken antitankgracht. En belangrijker, zo had men meer controle over het water als de Grebbelinie toch weer een rol zou krijgen in de landsverdediging. In 1939 was de bevolking in de vallei getuige van het opnieuw in gebruik stellen van de oude Grebbelinie. Kort na de mobilisatieoproep zagen de inwoners militairen met scheppen over de schouder naar de oude dijkjes marcheren om er loopgraven, schuilplaatsen en commandoposten te maken. Vrachtwagens voerden zand aan voor de stellingen, terwijl er meer dan een miljoen gulden werd betaald voor de bouw van betonnen kazematten. De Grebbelinie moest in de plannen van de legerleiding de functie vervullen van voorpost van de Nieuwe Hollandse Waterlinie, officieel onder de nieuwe naam 'Valleistelling'.

De keuze voor deze stelling zou diep ingrijpen in het leven van de bewoners van de Gelderse Vallei. Na een korte periode van aftasten begon de bevolking te wennen aan het soldatenvolk, dat negen maanden deel zou uitmaken van het straatbeeld. Vele militairen hadden koffieadressen en er ontstonden vriendschappen. Het duurde echter niet lang voor de donkere zijde van de militaire aanwezigheid voelbaar werd. Grond moest worden onteigend, gebouwen gevorderd en vanaf september 1939 werden ten oosten van de linie inundaties gesteld. De honderden bewoners van het inundatiegebied kregen enkele dagen de tijd om hun spullen te pakken en af te reizen naar familie of anderen in West-Nederland.

Toen de strenge winter van 1939-1940 aanbrak, was het werk aan de Valleistelling nog lang niet klaar. Bovendien zorgde de vorst ervoor dat de inundaties bevroren en de belangrijkste kracht van de waterlinie verloren ging. Na de winter begon men haast te maken met de stel-

Marcherende soldaten van het 19e Regiment Infanterie bij Rhenen.

Soldaten van het Veldleger tijdens een oefening met een lichte mitrailleur, de Lewis M.20

lingen. Meer en meer liet men ook burgeraannemers werk uitvoeren en de veldstelling van het veldleger naderde langzaam haar voltooiing. De Valleistelling leek inmiddels voldoende sterk voor haar oorspronkelijke doel: tijd winnen om de inundaties van de Nieuwe Hollandse Waterlinie te stellen. In februari 1940 veranderde dit streven met de aanstelling van een nieuwe opperbevelhebber, generaal H.G. Winkelman. De Valleistelling was volgens hem de beste plek om de hardnekkige verdediging te voeren. Grote steden als Utrecht en Amsterdam zouden buiten het bereik van de vijandelijke kanonnen blijven en de beboste Utrechtse Heuvelrug bood gelegenheid om mensen en materiaal verdekt op te stellen. Bovendien zou een groter deel van Nederland verdedigd worden. Omdat de Valleistelling niet was ingericht voor langdurige verdediging werd een betonplan opgesteld dat in oktober 1940 had moeten resulteren in de oplevering van betonnen commandoposten, schuilplaatsen en observatieposten. Zover kwam het echter niet.

Op 10 mei 1940 overschreden Duitse legers de Nederlandse grens en maakte de oude Grebbelinie zich dan toch op voor haar vuurdoop. De meer dan 50.000 soldaten in de Valleistelling gingen naar hun stellingen, sloten hindernissen en wachtten af. Woningen in het schootsveld van de linie werden geruimd en de burgerbevolking werd geëvacueerd met schepen en treinen. Na negen maanden bedrijvigheid was het even stil in de Gelderse Vallei. Wageningen werd al in de nacht van 10 op 11 mei bereikt en het duurde niet lang of de Duitse artillerie opende het vuur op de voorposten van de Grebbeberg. Het kostte het Duitse leger een hele dag om de zwakke posities tussen Wageningen en de Grebbeberg te veroveren. Meer dan veertig Nederlandse soldaten sneuvelden daarbij. Een dag later drongen Duitse troepen door de frontlijn. Ook op andere plaatsen in de linie werd inmiddels gevochten. Ten oosten van Veenendaal werd een aanval afgeslagen en bij Asschat en Stoutenburg maakten de voorposten vuurcontact met de Duitse voorhoede.

Scherpenzeel was 13 mei het toneel van een grootscheepse aanval, die vastliep door plaatselijke weerstand in voorposten en goed liggend artillerievuur. Op de Grebbeberg werd die dag echter een beslissende bres geslagen en een grote Nederlandse tegenaanval mislukte.

In de nacht van 13 op 14 mei trok het Nederlandse leger zich terug op de Nieuwe Hollandse Waterlinie om een dag later de wapens neer te leggen. Rhenen, Wageningen en Scherpenzeel lagen in puin. Meer dan vijfhonderd soldaten verloren het leven in de Valleistelling. Negen maanden arbeid in de stellingen was in enkele dagen te niet gedaan.

Pantherstellung (1944-1945)

In 1944 begon de Grebbelinie aan haar laatste militaire periode. In de herfst van 1944 besloot de Duitse legerleiding om de Westwall te verlengen over Nederlands grondgebied. De Westwall was de Duitse tegenpool van de Franse Maginotlinie en was aangelegd vanaf 1936 langs de Duitse grens met Frankrijk, Luxemburg, België en Limburg. De linie had in 1940 al een lengte van meer dan vijfhonderd kilometer van Basel tot Kleef aan de Rijn. De verlenging in 1944 vertakte zich in twee delen; een deel langs de IJssel via Groningen naar Delfzijl en een deel via Arnhem naar de Gelderse Vallei.

Het deel in de vallei volgde voor een belangrijk deel het tracé van de Grebbelinie en eindigde bij het IJsselmeer. Men gaf het de naam 'Pantherstellung'.

Sinds de geallieerde landing op de stranden van Normandië wist de Duitse legerleiding dat men bedreigd werd uit het zuidwesten. De Grebbelinie leende zich uitstekend voor de verdediging. Door het IJsselmeer te benutten werd de frontlijn aanmerkelijk verkort ten opzichte van het alternatief langs de Duitse grens.

Het werk aan de Pantherstellung werd verricht door dwangarbeiders en krijgsgevangenen, die door de organisatie Todt aan het werk werden gezet. De organisatie vestigde zich in oktober 1944 in de Gelderse Vallei en belastte bouwleiders met het herstel van de vernielde Grebbelinie. Bovendien moest men nieuwe stellingen aan de linie toevoegen. De bevolking diende zich te melden en werd te werk gesteld voor 52 cent per uur. Wie niet op kwam dagen, liep het risico dat zijn huis verbeurd werd verklaard.

Al tijdens de Slag om Arnhem (17-26 september 1944) begon de bezetter met het ontruimen van het gebied tussen Arnhem en de Grebbeberg. Steeds moesten er plaatsen ontruimd worden tot ook de inwoners van Wageningen en Bennekom in oktober werden gedwongen hun huizen te verlaten. Dit werd nodig geacht, omdat de Rijn frontgebied was geworden en men bang was dat de bevolking de geallieerden zou helpen. De gedwongen evacuatie was niet voorbereid en zou liefst acht maanden duren.

In de winter van 1944-1945 begonnen de inundaties van het gebied. In oktober-november 1944 werd de Bunschoterkom geïnundeerd en een maand later kwam vrijwel de gehele Neder-Betuwe onder water te staan.

In het voorjaar van 1945 werd het werk aan de Pantherstellung voortgezet. Behalve Nederlandse dwangarbeiders werden er nu ook Russische krijgsgevangenen ingezet. In maart waren er in totaal 12.000 mannen aan het werk. In het noorden werd bouwmateriaal aangevoerd via de haven van Nijkerk. Daarna werd het met paard en wagen naar de plaats van

Doorsnede van een Duitse bunker voor pantserafweergeschut, die op vele plaatsen in de Pantherstellung werden gebouwd.

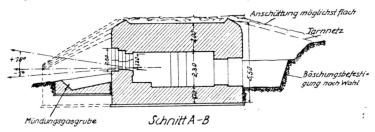

Een Duitse bunker R703 ter hoogte van de Langesteeg te Leusden.

bestemming gebracht. Daar vervoerden arbeiders het met kruiwagens naar de stellingen. Het werk was niet zonder gevaar. Met enige regelmaat vielen geallieerde vliegtuigen de stellingen aan, waar men dan in de zelf gegraven loopgraven een veilig heenkomen moest zoeken. Hoewel het de bedoeling was om zoveel mogelijk gebruik te maken van de voormalige Valleistelling, moest veel werk opnieuw worden gedaan. Niet alleen waren de loopgraven in 1940 dichtgegooid, de kazematten van de linie stonden gericht op het oosten, terwijl de geallieerden deze keer uit het zuidwesten werden verwacht. Om dit op te lossen werden meer dan twintig sterke bunkers gebouwd voor antitankgeschut die vuur konden uitbrengen op geallieerde voertuigen uit het zuidwesten.

De bevrijders dreigden echter door de Duitse linies te breken bij Arnhem. Ze slaagden daarin tijdens de operatie 'Quick Anger', waardoor de geallieerden de Pantherstelling in de rug naderden.

Mede daardoor was het voor de Duitsers belangrijk om in maart en april 1945 de oude inundaties in het zuiden van de Grebbelinie weer te stellen. Voor de tweede maal in vijf jaar tijd werd het schootsveld van de Grebbelinie vrijgemaakt, hetgeen betekende dat menig boerderij ten oosten van de linie in vlammen opging. Ook vele hoge gebouwen, zoals molens en kerktorens, werden vernietigd door de bezetter.

Meer en meer teruggeweken Duitse eenheden verschansten zich in de stelling, waar hindernissen werden opgericht. De bruggen over het Valleikanaal werden opgeblazen. Hoewel Canadese troepen de flanken van de Pantherstelling dicht naderden, kwam het niet meer tot grote gevechten. Bij onderhandelingen in Achterveld kwam men een wapenstilstand overeen, waardoor voedseltransporten mogelijk werden naar het hongerende Westen. Kort daarop werd de Duitse capitulatie getekend in Wageningen. Hiermee kwam tevens een einde aan tweehonderd jaar militaire geschiedenis van de Grebbelinie.

Sporen van de linie

Na de Tweede Wereldoorlog onderzocht men enige tijd of de afgeschreven linie nog een rol zou kunnen spelen in de landsverdediging. Al snel kwam men tot de conclusie dat er voor statische verdedigingswerken geen plaats meer was in de moderne oorlogsvoering. In 1950 voltooide men de sloop van de Pantherstellung en een jaar later werd de linie definitief als verdedigingswerk opgeheven. De Grebbelinie leek geheel vergeten toen de provincie Utrecht de linie in 1969 kocht en Staatsbosbeheer het grootste deel van de werken ging beheren. Met beperkte middelen werkte men aan de restauratie van sluisjes en het herstel van kaden en grachten. De Stichting Menno van Coehoorn gaf adviezen voor het behoud van de verdedigingswerken. Mede door genoemde inspanningen is er verrassend veel overgebleven, al was er van een beschermde status geen sprake en gingen in Amersfoort en Leusden delen van de linie verloren ten behoeve van woningbouw, bedrijventerreinen en wegen. Om aan dat verval een einde te maken diende de Stichting Grebbelinie in 2004 verzoeken in om van de Grebbelinie een Rijksmonument te maken. Opmerkelijk genoeg werd de meest recente geschiedenis het meest grondig weggewist uit het schuldige landschap. Van de Pantherstellung zijn slechts hier en daar vage sporen van loopgraven zichtbaar en de acht bunkers die nog over zijn lijken geen enkele binding te hebben met hun omgeving. Dat was precies wat de slopershamers in de jaren van wederopbouw moesten bewerkstelligen. Wel duiden de gevelstenen in de wederopbouwboerderijen met het jaartal '1947' op de verwoestingen die aan het einde van de oorlog werden aangericht. De meest in het oog springende militaire periode van de Grebbelinie is die van de Valleistelling, vooral vanwege het gebruikte materiaal: het beton valt op in de groene omgeving. Vele tientallen gewapend betonnen kazematten getuigen van de ware aard van de vredige dijkjes. Ook de tankversperringen en sluizen uit de mobilisatieperiode zijn van beton. Talloze monumentjes houden de herinnering aan de gebeurtenissen in 1939-1940 levend. Hoewel het militaire karakter van de Grebbelinie in de loop van de tijd is bedekt met een laag groen, vormt de oude verdedigingsstructuur de basis van de tweehonderd jaar die zouden volgen. Verreweg de meeste elementen van de liniedijk, de forten en de keerkaden zijn nog aanwezig en nodigen uit tot het maken van een bijzondere wandeling.

Grenspaal van het Ministerie van Oorlog bij het Werk aan de Daatselaar.

Rhenen

De Grebbelinie en Rhenen worden in de regel in één adem genoemd. En hoewel de Grebbelinie
veel meer omvat dan Rhenen en de Grebbeberg is de associatie wel verklaarbaar. De naam
'Grebbelinie' is ontleend aan het watertje én het buurtschap De Grebbe aan de voet van de
Grebbeberg. Het watertje is de Grift, dat hetzelfde betekent als 'Grebbe'. Met het water van
deze Grift werden de inundaties van de Grebbelinie gevoed.
Tijdens de Franse inval (1794-1795) kreeg Rhenen te maken met grote aantallen gewonden,
die verpleegd werden in het Koningshuis, dat werd ingericht als Engels hospitaal. Doktoren
en officieren werden bij de burgerij ingekwartierd.
De gevechten op de Grebbeberg in1940 mogen tot de meest bekende gebeurtenissen in de
Grebbelinie worden gerekend. Drie dagen en nachten hielden de verdedigers stand tot ook de

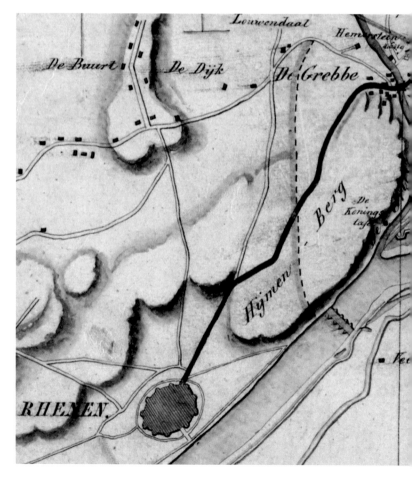

laatste stellingen bij de spoorlijn moesten worden verlaten.

Ook Rhenen zelf ontkwam niet aan het oorlogsgeweld. Waar de Grebbelinie in vroeger tijden het geschut op voldoende afstand van de stad Rhenen zou houden, daar schoot de Duitse artillerie tijdens de meidagen van 1940 over de linie en de Grebbeberg heen op het centrum van de stad. Honderden huizen werden verwoest of zwaar beschadigd.

Het grootste deel van de bevolking was toen al met schepen over de rivier geëvacueerd. Volgens het evacuatieplan zou men naar de Zuid-Hollandse eilanden varen, maar de

gevechten bij de Moerdijk en Rotterdam noopten de Rijnschepen eerder te stoppen. De bevolking zocht vervolgens onderdak in de omgeving van Lekkerkerk en Krimpen aan de Lek. Bij terugkomst zagen enige honderden inwoners dat hun huis niet meer bewoonbaar was. Met stenen van de steenfabrieken en hout van de verlaten loopgraven begon Rhenen aan de wederopbouw.

Rhenen en de verdedigingswerken aan de voet van de Grebbeberg in 1840. Tevens is de verlenging van de Grebbelinie in de Neder-Betuwe zichtbaar.

Bezienswaardigheden Rhenen

Fraai aan de rivier de Neder-Rijn gelegen, heeft het grensstadje Rhenen heel wat te bieden aan haar burgers en bezoekers. Toch is de plaats relatief klein gebleven met ongeveer 19.000 inwoners.

Cunerakerk

Hoog boven alle bebouwing uit steekt de circa 80 meter hoge Cuneratoren. Tijdens de meidagen van 1940 zou deze toren als oriëntatiepunt voor de Duitse artillerie hebben gediend, waardoor deze werd ontzien tijdens de beschietingen. Ter nagedachtenis aan deze periode is een plaquette aangebracht ter ere van het 8e Regiment Infanterie, dat de Grebbeberg verdedigde. Toen Rhenen in 1945 opnieuw onder (geallieerd) vuur kwam te liggen werd de kerk alsnog door een bombardement getroffen. De Cunerakerk werd na de oorlog gerestaureerd, zodat deze hallenkerk met één dwarsschip en een enkel koor behouden bleef. Hoewel het onzeker is wanneer de kerk precies gebouwd is, gaat men er vanuit dat het oudste deel dateert uit de eerste helft van de vijftiende eeuw. Vanaf 1492 begon men aan de toren, waar bijna veertig jaar aan werd gewerkt. De bouw van deze imposante laatgotische kerk werd mogelijk gemaakt door de vele bedevaartstochten ter ere van de Heilige Cunera.

➜ *De kerk is iedere zaterdagmorgen open van 10.00 tot 13.00 uur. Tijdens de zomermaanden is het mogelijk om de Cuneratoren te beklimmen onder leiding van een gids. Informatie en reserveren via VVV Rhenen: 0317-612333.*

Stadsmuur

Nog ver vóór de aanleg van de Grebbelinie waren verdedigingswerken voor de stad Rhenen van groot belang. Vanwege de strategische ligging langs de rivier, op de grens van Gelre en 't Sticht, gaf bisschop Jan van Arkel in 1346 opdracht om Rhenen te ommuren. Ondanks alle stadspoorten, bolwerken en muurtorens werd Rhenen tussen 1483 en 1527 driemaal veroverd en bezet. Halverwege de zestiende eeuw werden de verdedigingswerken uitgebreid en verbeterd om weerstand te kunnen bieden aan kanonvuur. Delen van de noordelijke stadsmuur zijn nog altijd aanwezig evenals de restanten van de zuidelijke muur die oorspronkelijk was omgeven door een natte gracht welke aan het begin van de twintigste eeuw was opgedroogd.

➜ *Men kan een wandeling maken via het Buitenomme, met prachtig uitzicht over de uiterwaarden. Er zijn tevens stadswandelingen met een gids van het Cuneragilde. Informatie en aanmeldingen: VVV Rhenen, Oude Markt 20.*

Oude Raadhuis

Het Oude Raadhuis is een prachtig monumentaal pand, dat werd gebouwd in de vijftiende eeuw. Het oudste deel is de hal met daarboven de raadzaal, die dateert uit circa 1400. Het Raadhuis werd diverse malen gerestaureerd, voor het laatst in 1975.
Het is mogelijk om een rondleiding te krijgen door het Oude Raadhuis. Opgeven en aanvullende informatie via VVV Rhenen.

Panoramamolen

Prachtig gelegen op een restant van de oude omwalling van Rhenen ligt een fraaie stellingmolen uit 1892. De molen wordt ook wel aangeduid met 'Binnenmolen', omdat deze in tegenstelling tot andere molens binnen de stadsmuren stond. Hij werd gebouwd op de plaats van een voormalige standerdmolen en ligt nu dicht tegen het huidige winkelcentrum aan. Tot de jaren dertig van de twintigste eeuw was de molen in bedrijf. De molen werd 1968 fraai gerestaureerd en draait regelmatig. Als de blauwe wimpel uithangt is de molen te bezichtigen.

Koningshuis

Dat Rhenen plaats bood aan een koning is nog te zien aan het restant van het Koningshuis dat bewaard is gebleven. De resten treft men aan in de zuidwestelijke hoek van de stad in de vorm van een versierde zandstenen boog. Frederik V, keurvorst van de Palts, zocht met Elisabeth Stuart zijn toevlucht in de Republiek, nadat hij met zijn troepen was verslagen door het leger van de keizer. In 1629-1631 liet hij in Rhenen een paleis bouwen met pleinen en tuinen. Ook werd er een Koningsstal gebouwd, zodat hij zich kon bezighouden met zijn grote passie, de jacht. Een verwijzing naar deze koning van Bohemen vindt men tevens in de naam 'Koningstafel' op de Grebbeberg. Het koningshuis werd aan het begin van de negentiende eeuw gesloopt.

→ *Wie meer wil weten van de geschiedenis van Rhenen, kan zijn hart ophalen in 'Het Rondeel', Gemeentemuseum Rhenen aan de Kerkstraat 1 (tel. 0317-612077).*

Station Rhenen-Hoornwerk aan de Grebbe

Deze wandeling voert over de strategisch belangrijke Grebbeberg, waar eeuwenlang verdedigingswerken werden aangelegd, ook in het kader van de Grebbelinie. Onderweg komt u diverse loopgraven en kazematten tegen die herinneren aan de slag om de Grebbeberg. In het gebied heeft zich tevens een belangrijk natuurgebied ontwikkeld dat beheerd wordt door het Utrechts Landschap.

① De legende van Cunera

In de vierde eeuw na Christus maakte de schotse prinses Cunera deel uit van een groep vrouwen die op bedevaart gingen naar Rome. Op de terugweg werden ze overvallen door de Hunnen. Alleen Cunera overleefde het, omdat ze werd gered door koning Radboud, die haar meenam naar zijn kasteel in Rhenen. De echtgenote van de koning werd echter jaloers, toen Cunera de sleutel van de koninklijke schatkamer kreeg en de hoogste in rang werd in het kasteel. Ze besloot het meisje uit de weg te ruimen door haar te wurgen met een sjaal. Ze verstopte het lichaam, maar Radboud ontdekte het desondanks in de paardenstal. De koningin werd gestraft en stortte zich vervolgens van de Grebbeberg in de Rijn.

② Grebbelinie: de Bergbatterij

Halverwege de trap is aan weerszijden een plateau te zien, dat in 1785 werd aangelegd om geschut op te stellen. Vanaf deze bergbatterij kon men vuren op aanvallers die de Grebbeberg naderden. In de meidagen van 1940 werden de oude wallen vervangen door loopgraven. Men bouwde tevens een kazemat in de voormalige bergbatterij.

③ Ringwalburcht

De voormalige boswachterswoning met kantelen markeert de ringwalburcht, die geheel uit aarden wallen met droge grachten bestaat. Via een trap achter de woning is het mogelijk om het binnenterrein te overzien. Dit archeologische rijksmonument werd in 2004 beter zichtbaar gemaakt en voorzien van trappen, een doorgang en uitkijkpunten. De aarden burcht dateert uit de Vroege Middeleeuwen en beheerste het omliggende gebied. Het plateau waarop de ringwalburcht is aangelegd wordt wel aangeduid met Koningstafel. De naam verwijst naar Frederik V, koning van Bohemen, die hier graag uitrustte na een jachtpartij op de berg.

④ Grebbelinie: de Bastions op de Uiterwaarden

Maar liefst drie grote bastions vormen de contouren van een fraai natuurgebied. De vormen van het aarden verdedigingswerk zijn het beste te zien bij hoog water of in de winter vanaf de

Grebbeberg, wanneer het blad van de bomen is. De bastions werden in het kader van de Grebbelinie aangelegd in 1785 naar een ontwerp van Du Moulin. Met deze bastions wilde men voorkomen dat de vijand via de hoge en droge uiterwaarden de Grebbeberg kon naderen.

⑤ Valleistelling: gietstalen kazematten

Met enige regelmaat komt u langs het pad grote brokken beton tegen. Deze betonblokken zijn de restanten van gietstalen kazematten. 'Kazemat' is het Nederlandse woord voor het Duitse 'Bunker'. Deze betonnen gevechtsopstellingen waren voorzien van een gietstalen koepel. In de koepels was er plaats voor drie soldaten die de beschikking hadden over een zware mitrailleur. De kazematten werden in 1941 gesloopt door de bezetter, die het staal in Duitsland lieten omsmelten ten behoeve van de oorlogsindustrie.

⑥ De Erebegraafplaats

De begraafplaats is de laatste rustplaats van meer dan vierhonderd Nederlandse militairen die tijdens de meidagen sneuvelden op en rond de Grebbeberg. Aanvankelijk werden ook de Duitse gesneuvelden hier begraven, maar deze werden na de oorlog herbegraven op de begraafplaats in Ysselsteyn in Limburg. De Oorlogsgravenstichting draagt sinds 1952 de zorg voor het Ereveld. Op het Ereveld bevindt zich een informatiecentrum.

⑦ Ouwehands Dierenpark

Een gevelsteen bij de ingang van Ouwehands Dierenpark vertelt een oorlogsverhaal: 'De gebouwen verwoest tussen 10 en 15 mei 1940 zijn herrezen in 1941-1942'. Het levenswerk van Cornelis Ouwehand leek ten onder te gaan met de gevechten op de Grebbeberg. Vrijwel alle roofdieren waren op 10 mei afgemaakt. Vele gebouwen raakten onherstelbaar beschadigd. Talloze dieren braken los of raakten gewond door kogels en granaatscherven. Twee jaar werkte men echter aan een bijzonder stukje wederopbouw in de bossen van de Grebbeberg.

⑧ Valleistelling: loopgraven op de Grebbeberg

De soldaten vochten tijdens de meidagen veelal vanuit posities in loopgraven. Na de gevechten op de Grebbeberg werden deze stelsels

dichtgegooid. Het is niet eenvoudig om de sporen van de loopgraven te herkennen in het bos. In de afgelopen jaren zijn er echter langs de Heimersteinselaan op twee plaatsen reconstructies gemaakt, waardoor u enigszins kan ervaren hoe het is om in een loopgraaf te zijn. In vredestijd welteverstaan.

Station Rhenen-Hoornwerk aan de Grebbe (5,6 km)

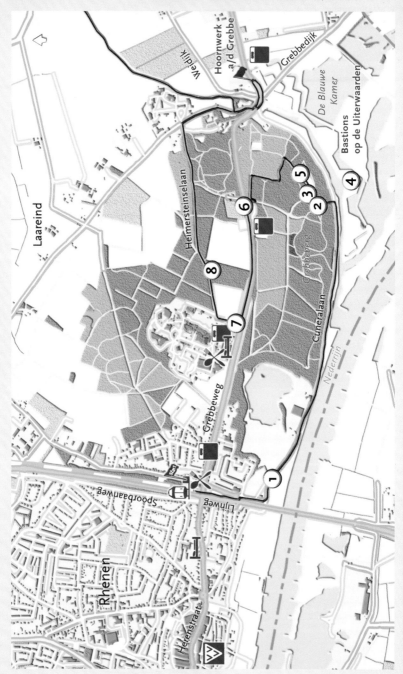

→ Het themapad Grebbelinie begint op station Rhenen. Hier linksaf perron volgen tot einde, na de overkapping rechtdoor onder het viaduct door en dan langs fietsenstalling rechtdoor over parkeerterrein.

• Einde parkeerterrein rechtdoor, bij de voetgangerslichten weg oversteken. Na oversteek linksaf richting plaatsnaambord Rhenen, gelijk weer rechts aanhouden. Weg volgen naar beneden, Zwarteweg.

• Einde weg, vóór rivier, linksaf, Cuneralaan. Deze volgen, gaat later over in fietspad.

• Derde pad met klaphekje, bij geel/blauwe sticker, linksaf, bielzentrap omhoog. Einde trap direct rechtsaf bij paaltje met twee markeringsstickers g/b en w/r (ruïne bij Ringwalburcht).

• Pad volgen langs markeringen met wit/rode sticker; dit is rechter steenslagpad.

• Pad volgen; rechts is een uitzichtpunt over het natuurgebied Blauwe Kamer en de bastions op de Uiterwaard, daarna trap op en trap af en direct na de trap rechtsaf, wit/rode markering volgen. Einde pad linksaf, w/r en g/b markering volgen.

• Einde pad is de weg bij de erebegraafplaats, deze weg oversteken.

• Na oversteek linksaf fietspad volgen voor de erebegraafplaats langs. Fietspad gaat over in graspad en daarna in asfaltfietspad. Volgen tot Heimersteinselaan, hier rechtsaf voor ingang Ouwehands Dierenpark langs.

• Weg volgen, bocht naar rechts, daarna rechtdoor langs slagboom. Daarna pad rechtdoor volgen.

• Bij infobord Grebbelinie even naar rechts en rechts aanhouden naar loopgraaf, daarna terug naar infobord en daar rechtsaf pad vervolgen.

• Pad volgen met bocht naar rechts en daarna rechtdoor. Brede steenslagpad volgen, op viersprong rechtdoor, ook bij slagboom.

• Einde steenslagpad (Heimersteinselaan) rechtdoor, wordt asfaltweg, einde asfaltweg bij klinkerweg rechtsaf. Aan rechterkant van weg op smalle pad lopen, pad steekt over naar de linkerkant, dit ook volgen.

• Cuneraweg rechtdoor volgen tot einde. Einde weg de Grebbeweg rechtdoor oversteken en na oversteek linksaf. Deze weg volgen tot bushalte.

← Deze wandeling start vanaf bushalte aan de rivierzijde, waar u een prachtig uitzicht heeft op het Hoornwerk aan de Grebbe.

• Weg oversteken en linksaf (fiets)pad volgen, vervolgens tweede weg rechts, Cuneraweg.

• De weg volgen, langs kazemat met paneel, rechts van weg lopen op sintelpad. Bij bordje verboden toegang weg naar links oversteken en na oversteek rechtsaf pad vervolgen.

• Einde pad bij Heimerstein linksaf bos in via asfaltpad, waar het asfaltpad naar links gaat. Rechtdoor breed steenslagpad volgen.

• Na een slagboom pad rechtdoor volgen, op viersprong rechtdoor, pad volgen met bocht naar links.

• Bij infobord Grebbelinie even links en dan voor op vlakte rechts aanhouden naar loopgraaf.

• Terug naar infobord en daar linksaf pad volgen. Einde pad bij slagboom rechtdoor, linksaf voor ingang Ouwehands Dierenpark langs.

• Einde weg, vóór verkeersweg, linksaf fietspad volgen richting Grebbeberg. Einde asfaltpad rechtdoor graspad volgen langs weg (voor zitbank langs), bij ingang van de Erebegraafplaats rechtsaf weg oversteken.

• Na oversteek linksaf voor monument langs. Na trappen van monument eerste pad rechtsaf, bij witte slagboom.

• Pad volgen, door klaphekje en na klaphekje wit/rode markering volgen door bos; langs diverse restanten van gietstalen kazematten.

• Wit/rode markering volgen, door twee kuilen en langs afrastering. Vóór uitzichtpunt over bastions op de Uiterwaard rechtsaf markering volgen, linksaf trap op en rechtdoor trap af.

• Pad volgen, zijpaden negeren, pad gaat over open vlakte. Daarna rechtdoor tot ruïne bij Ringwalburcht.

• Vóór ruïne linksaf wit/rode markering volgen, linksaf bielzen trap af naar beneden. Einde pad, na klaphekje, rechtsaf steenslagpad volgen (Cuneralaan).

• Pad gaat over in klinkerwegje en daarna in asfaltwegje, steeds rechtdoor volgen, vlak voor brug rechtsaf, Zwarteweg, omhoog volgen.

• Bij garage even links en daarna rechtsaf weg oversteken, daarna schuin rechtdoor tegelpad volgen.

• Rechtdoor over parkeerplaats en bij fietsenstalling rechtdoor richting viaduct. Onder viaduct door naar NS-station van Rhenen, eindpunt van het Grebbeliniepad.

Hoornwerk aan de Grebbe-Benedeneind

Deze wandeling voert door het voormalig turfstekergebied tussen de Grebbeberg en Veenendaal. Een gebied waar water altijd een hoofdrol heeft gespeeld en waar nu diverse natuurgebieden liggen, zoals de Bennekomse Meent en de Hooilanden. In de achttiende eeuw werd deze sector vanwege het moerassige karakter dan ook tot de sterkste delen van de Grebbelinie gerekend

① Grebbelinie: Hoornwerk aan de Grebbe

Om de Grebbesluis te beschermen werd in 1745 het Hoornwerk aan de Grebbe aangelegd. De verdediging was oorspronkelijk gericht op de Grebbedijk waar de vijand over kon naderen. In de mobilisatieperiode 1939-1940 bouwde men houten onderkomens en loopgraven in de oude wallen. Deze werden zwaar op de proef gesteld tijdens de gevechten met het Duitse leger, dat het hoornwerk beschoot met artillerie. De verdedigers hadden het zwaar, omdat er geen betonnen schuilplaatsen waren en het schootsveld werd beperkt door boomgaarden. De geïsoleerde verdedigers bleken mede daardoor onvoldoende weerstand te kunnen bieden, toen het hoornwerk op 12 mei 1940 werd aangevallen.

② Grebbelinie: Grebbesluis

Aan de voet van de Grebbeberg bevond zich het belangrijke inlaatpunt voor het stellen van inundaties in de Gelderse vallei. Als er oorlog dreigde, kon er op deze plaats water worden ingelaten door de Grebbesluis, die in 1743 voor dat doel geschikt werd gemaakt. Bij het stellen van een inundatie was men wel afhankelijk van een hoge waterstand in de Nederrijn. De oude sluis werd rond 1980 afgebroken en vervangen door een duiker, die vrijwel geheel door de verkeersweg aan het oog onttrokken wordt.

③ Valleistelling: kazemat aan de Cuneraweg

Aan de Cuneraweg staat een van de kazematten voor lichte mitrailleur, die aan de voet van de Grebbeberg werden gebouwd in 1939-1940. Dergelijke betonnen verdedigingswerken waren scherfwerend, maar onvoldoende sterk om voltreffers van zwaar geschut te weerstaan. De kazemat was bedoeld voor drie man: een mitrailleurschutter, een helper en een commandant. De beschadigingen aan de voorzijde van de kazemat duiden op de gebeurtenissen in 1940.

④ De Bischop Davidsgrift

Aan het einde van de vijftiende eeuw maakte de vallei deel uit van het Bourgondische rijk. In 1473 wilde bisschop David van Bourgondië een einde maken aan de wateroverlast in het zuidelijk deel van de vallei. Hij gaf opdracht tot het graven van een grebbe of grift, hetgeen ongeveer tien jaar in beslag zou nemen. Door deze Grift werd het tevens mogelijk om turf af te voeren via het kanaal. De turfwinning zou doorgaan tot het einde van de negentiende eeuw, maar het grootste deel van de veenderijen raakten al rond 1650 uitgeput. De Grift maakt tegenwoordig deel uit van het Valleikanaal.

⑤ Het Nieuwe Kanaal

Dwars op de Grift ziet u na enige tijd het Nieuwe Kanaal dat in 1726 werd gegraven voor afvoer van turf uit Veenendaal naar de Binnenhaven van Wageningen. Langs dit kanaal lagen tijdens de mobilisatie in 1939 voorposten van het 19e Regiment Infanterie. Aangezien de inundatie hier niet compleet was, moesten de soldaten hun stellingen in 1940 aanpassen. Op 11 mei 1940 trokken Duitse troepen aan weerszijden van het kanaal in de richting van het front, dat achter de Grift lag. De soldaten wisten de aanval enige tijd te weerstaan, tot ze zich aan het begin van de middag moesten overgeven.

⑥ Stuw in de Grift

In de afgelopen eeuw zijn vele maatregelen getroffen om de waterafvoer zo efficiënt mogelijk te maken; ook de Bisschop Davidsgrift werd gekanaliseerd. Door de verbeterde ontwatering is het grondwaterpeil in de Gelderse Vallei flink gedaald en dat heeft gevolgen voor de natuur. In 1993 liet het Waterschap een stuw (met vistrap) bouwen, die de Grift tot Veenendaal in twee panden verdeeld. Hierdoor kan het water beter worden vastgehouden, hetgeen van veel belang is voor de natuurwaarden van het Binnenveld.

⑦ Eendenkooi

Wandelend langs de Grift, tussen Haarwal en de Werftweg ziet u in een bocht wat bosjes aan de overzijde van het water. Het betreft een eendenkooi, een vanginrichting voor wilde eenden. De eenden worden door de kooiker met behulp van voer, tamme eenden en een hondje naar een vangpijp gelokt, waar ze worden gevangen in een vanghokje. Oorspronkelijk werden de eenden alleen gevangen voor de consumptie, maar tegenwoordig wordt tevens wetenschappelijk (ring)onderzoek gedaan.

⑧ De Blauwe Hel en De Hel

Ter hoogte van het Gelders Benedeneind ligt een tweetal natuurgebiedjes met, op het eerste gezicht, vrij ongebruikelijke namen. Ze herinneren aan de periode van turfwinning in dit gebied. De veenbagger werd hier handmatig boven water gehaald en te drogen gelegd op

smalle stroken land. Gevolg van de afgravingen waren rechthoekige veenplassen, die wel 'petgaten' of 'hellen' genoemd werden. Het was dit soort land, dat de keuze voor de Grebbelinie in dit gebied zo logisch maakte. Het moerassige land was voor een vijandelijk leger nauwelijks te doorschrijden.

Hoornwerk aan de Grebbe-Benedeneind (10,5 km)

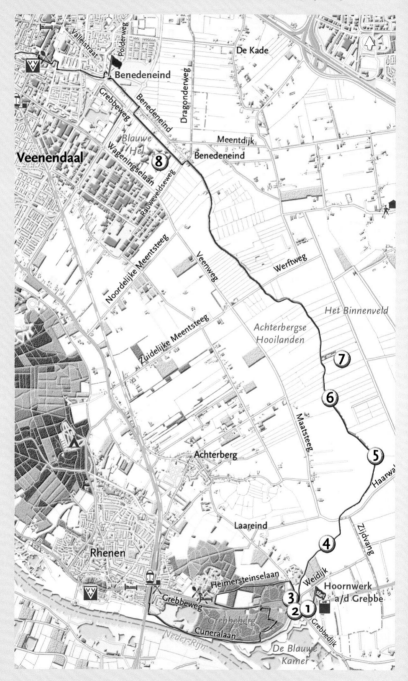

ROUTEBESCHRIJVING

→ Deze wandeling start vanaf de bushalte aan de rivierzijde, waar u een prachtig uitzicht heeft op het Hoornwerk aan de Grebbe en het natuurgebied de Blauwe Kamer. Na uitzicht de weg oversteken en linksaf het (fiets)pad volgen, over de Grebbesluis (een duikersluis onder de weg) dan rechtsaf, de Cuneraweg.

• Wanneer u links een kazemat met paneel ziet: rechtsaf en fietspad langs de Grift volgen. U passeert onderweg het Nieuwe Kanaal, een stuw en een Eendenkooi.

• Op driesprong rechtdoor, hier verlaten we het klompenpad, fietspad vervolgen.

• Asfaltweg rechtdoor oversteken en fietspad rechtdoor vervolgen, langs bordje Grebbelinie.

• Fietspad gaat over in asfaltwegje, einde wegje bij paddestoel 20713/001, bij een vaste brug op de Rouwveldseweg, linksaf.

• Eerste wegje rechtsaf, Grebbeweg (links passeren we uitzichtpunt de Hel).

• Bij plaatsnaambord Veenendaal bocht naar rechts volgen.

• Na vaste brug linksaf, asfaltweg, Benedeneind, volgen langs de Grift. Onder viaduct door asfaltweg vervolgen, zijstraten negeren; asfaltweg gaat over in fietspad.

• Eerste fietspad rechtsaf door tunneltje, dan meteen links.

• De weg oversteken bij de verkeerslichten. Rechts hiervan is een kazemat met paneel. Links een bushalte op de Prins Clauslaan, het eindpunt van deze wandeling.

← De wandeling begint bij de bushalte op de Prins Clauslaan. In de directe nabijheid staat een kazemat in een achtertuin, met een informatiepaneel. Na een kijkje bij de kazemat teruglopen en bij de verkeerslichten linksaf oversteken

• Fiets/voetpad naar beneden volgen en rechtsaf door het tunneltje.

• Bij het eerste fietspad linksaf, dit pad volgen langs het water (aan de rechterhand), gaat over in asfaltweg, (weg langs water heet Benedeneind).

• Wegje volgen onder viaduct door, na viaduct eerste brug rechtsaf, Grebbeweg. Wegje volgen met bocht naar links (bij bord einde bebouwde kom Veenendaal).

• Dit wegje steeds rechtdoor volgen, rechts passeren we het uitzichtpunt de Hel. Einde Grebbeweg linksaf, asfaltwegje.

• Vóór vaste brug, bij paddestoel 20713/001, rechtsaf richting Rhenen. Bij paddestoel 20602/001 rechtdoor de weg oversteken en na oversteek pad rechtdoor vervolgen langs de Grift.

• Fietspad steeds blijven volgen langs de Grift, zijpaden negeren. Na ijzeren hekje rechtdoor de weg oversteken en fietspad vervolgen. U passeert onderweg een eendenkooi, het Nieuwe Kanaal en een stuw.

• Einde fietspad op de weg linksaf, (u ziet hier een kazemat met paneel) deze Cuneraweg rechtdoor volgen tot einde. Einde weg de Grebbeweg rechtdoor oversteken en na oversteek linksaf.

• Deze weg, Cuneraweg, rechtdoor volgen tot einde. Einde weg de Grebbeweg rechtdoor oversteken en na oversteek linksaf. Deze weg volgen tot de bushalte. U passeert onderweg de Grebbesluis (een duikersluis onder de weg). Dichtbij de bushalte is er een prachtig uitzicht over het Hoornwerk aan de Grebbe.

Veenendaal

Veenendaal heeft altijd een bijzondere positie bekleed in de Grebbelinie. Toen men in 1807 inspecties deed, noemde men het dorp zeer uitgestrekt, maar voor de inkwartiering van militairen was slechts het deel geschikt dat hooggelegen was. Bij een inundatie kwam een groot deel van het gebied onder water te staan. In het beste geval kon van de 682 woningen de helft voor inkwartiering worden gebruikt. De plaats telde toen 3.000 inwoners. Er hoorden twee buurtschappen bij, de Middelbuurt en de Hondse Elleboog langs de Venen in het zuidwesten. De inkwartiering bleef meer dan honderd jaar theorie, tot de mobilisatie in 1939-1940. Ongeveer drieduizend soldaten van het 10e Regiment Infanterie gingen tot het straatbeeld behoren. Hoewel het goed was voor de middenstand, moest de bevolking even wennen

aan het vreemde volk. Na enkele maanden waren er echter al veel koffieadressen bij de bevolking, die de soldaten gastvrij onthaalde. Veenendaal was in korte tijd een positie in de Valleistelling geworden. Uitgestrekte inundaties rond Veenendaal beheersten het beeld en talloze schuren, zolders, scholen werden tijdelijk bewoond door militairen. Aan het laatste kwam pas een einde toen er barakken gereed kwamen voor de soldaten.

Op 10 mei 1940 werd bekend gemaakt dat de Veenendaalse bevolking moest evacueren. De 16.000 inwoners trokken met waardepapieren, enige kleding en wat mondvoorraad naar veertig gereedliggende kolenschepen bij Elst, die helaas niet waren schoongemaakt. Van de reis naar Rotterdam kwam weinig terecht vanwege de gevechten bij Moerdijk en Rotterdam. De

bewoners kregen onderdak in plaatsen langs de Lek. Bij terugkeer zag men dat Veenendaal aan de grootste verwoesting was ontkomen. Toch was er schade; het Nederlandse leger had het schootsveld vrijgemaakt door huizen af te branden.

Mevrouw E. van Nood- Van Oostveen herinnert zich: 'Veenendaal, dat was een grote plaats, een mooie winkelplaats. En we kwamen ook allemaal bij elkaar in de Korenbeurs. Dat was op de markt, dat was een hotel-restaurant. En daar hadden wij dan ook één keer in de veertien dagen een diner met de officieren etc. Dus daar leerde ik ook al die officieren kennen. Zodoende ben ik daar helemaal thuisgeraakt in Veenendaal.'

Bezienswaardigheden Veenendaal

Het ontstaan van Veenendaal hangt nauw samen met het verlengen van de Bisschop Davidsgrift in 1546. Gevechten tussen Gelre en 't Sticht waren zojuist beëindigd en de relatieve rust zorgde ervoor dat veenarbeiders zich langs het water konden vestigen. De Grift verdeelde Veenendaal in een Gelders en een Stichts gedeelte. Het duurde tot 1960 tot beide delen één zelfstandige Utrechtse gemeente ging vormen. Tegenwoordig is Veenendaal een echte groeigemeente met meer dan 60.000 inwoners en een aantrekkelijk winkelcentrum.

Salvatorkerk

Midden in het centrum, aan de markt, staat het oudste gebouw van Veenendaal. De kerk kwam uitgerekend in het jaar van de Beeldenstorm gereed: 1566. Om veenarbeiders te trekken en te behouden was de bouw van de kerk hard nodig. Voortaan hoefde men niet meer naar Ede, Renswoude of Rhenen, maar kon de rooms-katholieke gemeenschap naar de eigen 'veenkercke', die werd opgedragen aan Sint Salvator. Hoewel de Veengenoten aanvankelijk het oog had laten vallen op de hoogte 't Vendel, werd de kerk gebouwd op een zandheuvel met de naam 'Klein Veenlo'. De stenen werden waarschijnlijk gehaald van de Emminkhuizerberg, waar een oude kapel kon worden afgebroken. De kerk werd in verschillende periodes verder uitgebouwd om plaats te kunnen bieden aan het groeiende aantal kerkgangers. Bij de restauratie van 1962 werd het oude torentje afgebroken.

Markt

Een herdenkingsplaat aan de buitenzijde van de kerk herinnert aan de oorlogsdagen van het 10e Regiment Infanterie, dat Veenendaal in 1940 verdedigde. De Markt was tijdens de mobilisatie menigmaal het toneel van militaire parades. Hoewel veel panden rond het plein zijn verdwenen, toont een enkele gevel nog zijn oude gezicht. Zo is 'Markt 7' een rijksmonument. Het gebouw heeft een halsgevel uit 1906 in art-nouveaustijl. Er is een café-restaurant in gevestigd. Aan de zijde van de winkelstraat staat het beeld 'de wolkammer', dat herinnert aan de huisnijverheid en de textielindustrie van Veenendaal.

Museum 't Kleine Veenloo

Het historisch museum 't Kleine Veenloo vertelt aan de hand van talloze voorwerpen het verhaal van de veenkolonie Veenendaal. Er is aandacht voor de huisindustrie, de sigarenfabrie-

ken en het Veense leven. Het museum dat vele jaren een vertrouwde plek had aan de Markt, verhuist naar het Kees Stipplein, waar interactiviteit een grotere rol gaat spelen.

Stellingkorenmolen De Vriendschap

Op 19 december 1995 werd de stellingkorenmolen opnieuw in gebruik gesteld door prins Claus. De plechtige gebeurtenis benadrukte de waarde van deze achtkante korenmolen, die gebouwd werd in 1872. Het materiaal voor de molen was waarschijnlijk afkomstig van een afgebroken molen uit Wormerveer. Tijdens de mobilisatie lieten vele soldaten zich op de molen fotograferen. De molen is nog altijd in bedrijf; het gemalen graan wordt verwerkt in veevoeder. Wanneer de molen draait is deze te bezichtigen.

Stellingmolen De Nieuwe Molen

Zoals de naam al aangeeft is De Nieuwe Molen een relatief jong exemplaar. Deze bakstenen ronde stellingmolen werd gebouwd in 1911 en kwam in de plaats van een standerdmolen. Hierdoor kon de opslag- en maalcapaciteit verhoogd worden. De Nieuwe Molen staat op zandige gronden die iets hoger liggen dan de omgeving, hetgeen gunstig was voor het bedrijf. Bij windstilte kon de molen echter niet voldoen aan de vraag en de molen verviel tot ze in 1954 werd gerestaureerd.

De molen wordt door twee molenaars in bedrijf gehouden en is te bezichtigen wanneer de blauwe wimpel aan de molen wappert. Er is tevens een molenwinkel aanwezig.

Rijksmonumenten

Veenendaal telt nog enkele rijksmonumenten, waaronder het Koetshuis (Kerkewijk 22), een villa uit ongeveer 1900, met invloeden van chaletstijl, neogotiek en neorenaissance. Een ander opvallend pand aan de Kerkewijk is het kantoorgebouw van de voormalige Ritmeester Sigarenfabriek. De arbeiderswoningen aan de Davidsstraat zijn gebouwd in de stijl van de Amsterdamse School. Ze herinneren aan de periode dat Veenendaal naam maakte met sigaren en wol. De naam van het moderne winkelcentrum Scheepjeshof refereert aan de voormalige wolfabriek die op die plaats heeft gestaan en in 1989 werd gesloopt.

Benedeneind-Roode Haan

Een wandeling langs de stoplijn van de Valleistelling bij Veenendaal. Water speelde zoals overal in de linie een belangrijke rol. Zo had u een groot deel van de route in 1940 niet zonder laarzen kunnen wandelen. Vooral naar het zuidoosten was hier destijds een uitgestrekte watervlakte zichtbaar van enige decimeters diep. Het was daardoor niet nodig om grote verdedigingswerken aan te leggen. De inundatie werd als vrijwel ondoordringbaar beschouwd. Eenvoudige opstellingen en enkele kazematten moesten volstaan.

① Valleistelling: kazemat S7 bij De Punt

Veenendaal werd door drie verdedigingslijnen verdedigd; voorposten, frontlijn en stoplijn. Deze wandeling volgt de derde verdedigingslijn van Veenendaal, die ter plaatse van de kaze-

mat aansloot op de frontlijn. De positie werd door soldaten en burgers 'De Punt' genoemd, omdat hier een lange hooggelegen strook diep de inundatie indrong, als een schiereiland. Slechts deze smalle strook bood een doorgang naar het westen, die met de grote kazemat en hooggelegen stellingen werd afgesloten. Een paneel bij de kazemat biedt aanvullende informatie over de ligging.

② Grebbelinie: het omleidingskanaal

In 1866 werd het omleidingskanaal gegraven. De werkzaamheden werden verricht door de genie, omdat het militaire belangen waren, die aanleiding gaven tot deze omvangrijke operatie. Met de aanleg van het kanaal werd de doorlaatcapaciteit van het kanaal vergroot. Inundaties konden beter en sneller worden gesteld. In 2004 werd een deel van het omleidingskanaal een stuk opgeschoven, vanwege werkzaamheden aan de rondweg om Veenendaal. Daarmee is de relatie met de kazemat minder zichtbaar geworden.

③ De Frisia-Villa

Dat Veenendaal een uitgebreide wolindustrie kende is vrijwel nergens meer te zien. De traditionele thuisweverij en wolkammerij ontwikkelden zich naar industriële bedrijven, maar in de tweede helft van de twintigste eeuw ging de ene na de andere fabriek failliet. Wat nog rest is het directiekantoor van de Wolspinnerij Frisia N.V. in het centrum van Veenendaal. Het betreft een dubbel herenhuis aan de Kerkewijk, tegenover theater De Lampegiet. Het rijksmonument is gebouwd in de stijl van het neoclassicisme. Bij deze stijl werd gestreefd naar de puurheid van de klassieken: de Romeinen en de Grieken.

④ Ruisseveen

De naam 'Ruisseveen' verwijst naar de veengronden die Maria van Moudwijk, weduwe van Hendrik Ruijsch, in 1578 verwierf om te mogen verveen. Het verklaart ook de vreemde slinger die de Grift hier maakt, omdat de familie Ruisch die hier woonde ook gebruik wilde maken van het octrooi waar ze voor betaalden. In deze bocht stonden in mei 1940 de wapens opgesteld van een mitrailleurcompagnie van het 10e Regiment Infanterie. Stellingen van hout en aarde waren opgeworpen achter het kanaal. De zware en lichte mitrailleurs stonden gericht op het centrum van Veenendaal. Wanneer de vijand door de frontlijn zou breken, verwachtte men hier een aanval op de stoplijn. De Duitsers werden echter al in de voorposten van Veenendaal gestuit.

⑤ Munnikenweg

De Munnikenweg begrensde de bezittingen van de kartuizer monniken van het klooster Nieuw Licht buiten Utrecht. Zowel de zandheuvel het Groote Veenloo als delen van de Emminkhuizerberg waren in hun bezit. Op de berg stond voorts een kapel die in 1535 gesticht werd door Petrus Zas. In 1566 werd de kapel echter al weer afgebroken. De stenen van de kapel zouden gebruikt zijn voor de bouw van de St.-Salvatorkerk.
Langs de weg stonden in de oorlog barakken van militairen. Niet ver daarvandaan gebeurde tijdens de strenge winter van 1939-1940 een ongeluk met dodelijke afloop. Drie militairen waren uit een pontje gevallen, nadat het gevaarte tijdens het ijshakken was gaan slingeren. Een vierde militair die in het ijskoude water sprong om hen te redden, overleefde het ternauwernood.

⑥ Grebbelinie: de Roode Haan

De naam 'Roode Haan' verwijst naar de brandstichtingen in Veenendaal tijdens de Tachtigjarige Oorlog. In 1629 werd hier een schans aangelegd om de weg naar het westen af te sluiten. De huidige werken aan de Roode Haan werden gerealiseerd in 1785-1786, omdat men rekening moest houden met een aanval via de Emminkhuizerberg. Het verdedigingswerk

dat de sluis en Slaperdijk moest verdedigen, bestond in feite uit de versterkte Liniedijk in getenailleerde vorm. Dankzij deze zigzagvorm werd het mogelijk geschutsemplacementen voor kanonnen aan te leggen. De werken werden aangevuld met een halve lunet aan de Renswoudse zijde van het water, waar ook geschut in positie kon worden gebracht.

Benedeneind-Roode Haan (4,8 km)

→ De wandeling begint bij de bushalte op de Prins Clauslaan. In de directe nabijheid staat een kazemat in een achtertuin, met een informatiepaneel. Na een kijkje bij de kazemat teruglopen en bij de verkeerslichten recht oversteken.

- Achter de bushalte is een fietspad; deze naar rechts volgen; later tevens een voetpad.
- Bij rotonde ook het rode fietspad blijven volgen richting station, Raadhuisstraat. (Omleidingskanaal aan de linkerhand)
- Op kruising bij verkeerslichten (bij gemeentehuis) rechtsaf de weg oversteken via voetgangersoversteekplaats, na oversteek rechtdoor, Wolweg.
- Eerste straat linksaf, vóór winkelcentrum Corridor linksaf, ná het winkelcentrum Corridor rechtsaf en straat (J.G Sandbrinkstraat) rechtdoor volgen langs het postkantoor (in deze straat zijn diverse rustgelegenheden).
- Einde straat rechtsaf en eerste straat weer linksaf, De Korenbeurs (Frisia-Villa aan de linkerhand). Straat rechtdoor volgen, zijstraten en zijpaden negeren.
- Na tunnel rechtdoor vaste brug over en na brug direct rechtsaf langs het water, Kanaalweg. Deze rechtdoor volgen, gaat over in Sportlaan.
- Sportlaan volgen onder viaduct door, gaat over in Verlengde Sportlaan. Einde Verlengde Sportlaan rechtsaf De Wiekslag.
- Eerste fietspad, dit is vóór een vaste brug, rechtsaf; fietspad naar links volgen onder de brug door. Fietspad steeds rechtdoor volgen, zijstraten negeren.
- Einde fietspad rechtsaf (Ruisseveen), eerste brug rechtsaf. Na brug direct linksaf, straat langs de Grift volgen, straat rechtdoor volgen.
- Links aanhouden fietspad onder viaduct door volgen, Bomas. Einde straat linksaf, fietspad langs de Grift vervolgen, Munnikenweg.
- Einde Munnikenweg linksaf, Kooiweg, tot de brug/sluis doorlopen voor een mooi uitzichtpunt over het werk aan de Roode Haan en de sluis. Bij de Roode Haan is tevens een recreatiegebied met parkeerplaats en picknickbanken; geen openbaar vervoer.

← De wandeling begint bij recreatiegebied de Roode Haan. Na een kijkje bij de sluis de verkeersweg voorzichtig volgen over de Kooiweg. Bij paddestoel 20134/001 rechtsaf Munnikenweg, aan de rechterkant van de weg op het fietspad langs het water lopen.

- Waar het water naar rechts afbuigt, rechtsaf, Eggenberg. Straat gaat over in fietspad, dit rechtdoor volgen. Fietspad volgen onder de weg door, water steeds aan de rechterhand.
- Straat heet nu Bomas, zijstraten negeren. Bij tweede houten brug (is einde pad), rechtsaf de brug over, na brug linksaf, Ruisseveen. Daarna weer linksaf pad langs het water volgen, nu het water aan de linkerhand, zijstraten negeren.
- Fietspad blijven volgen, ook onder de weg door, na viaduct direct rechtsaf fietspad volgen. Einde fietspad linksaf, fietspad langs de weg volgen.
- Eerste weg linksaf, Verlengde Sportlaan. Weg volgen tussen sportterreinen door, bijna op het eind rechts aanhouden onder het viaduct door.
- Na viaduct rechtdoor fietspad vervolgen, zijpaden negeren, Sportlaan gaat over in Kanaalweg, deze rechtdoor volgen.
- Water aan linkerhand houden, bij tweede brug (betonnen brug) linksaf de brug over. Na brug rechts aanhouden onder het viaduct door.
- Na viaduct rechtdoor fietspad blijven volgen door park, zijpaden negeren. Einde fietspad rechtsaf (bij de Frisia-Villa) en na ongeveer 20 meter linksaf, J.G.Sandbrinkstraat (hier zijn diverse rustgelegenheden).
- Einde straat voor gemeentehuis van Veenendaal linksaf, eerste straat rechtsaf, Suikervat (dit is bij ingang van de Passage Corridor). Einde straat de weg rechtdoor oversteken en na oversteek rechtsaf, Wolweg.
- Op viersprong de weg rechtdoor oversteken via de voetgangerslichten en na oversteek linksaf, Raadhuisstraat. (Omleidingskanaal aan de rechterhand)
- Fiets/voetpad volgen, bij rotonde rechts aanhouden fietspad vervolgen, zijwegen negeren. Niet de brug over maar rechtdoor tot de bushalte, het einde van deze wandeling. Wanneer u hier bij de verkeerslichten oversteekt kunt u nog even een kazemat bekijken met een informatiepaneel.

Fort aan de Buursteeg

Hoewel het groen de vormen van het Fort aan de Buursteeg kundig camoufleert, is er nauwelijks een plaats aan te wijzen waar zoveel periodes van de Grebbelinie zichtbaar zijn. Het
grootste deel van het fort dateert van de tweede helft in de achttiende eeuw. Er zijn echter
ook restanten aanwezig uit de negentiende eeuw, de Valleistelling en de Pantherstellung.
Nederlandse, Britse, Franse en Duitse soldaten bevolkten het fort in de loop der eeuwen. En
dan is er nog de Slaperdijk uit 1652 die in de keel (achterzijde) aansluit bij het fort.
Momenteel speelt het verdedigingswerk een rol als cultuurhistorisch groen, waar de natuurwaarden de boventoon voeren. Het beheer van het Fort aan de Buursteeg is in handen van
Staatsbosbeheer, die al meer dan eens restauraties liet uitvoeren. De beschreven rondwande-
ling handelt over het zuidelijk deel van het fort, dat door de spoorlijn in tweeën wordt
gedeeld. Veenendaal heeft het fort aangewezen als gemeentelijk monument. Aangezien de
gemeentegrens hier tevens door het spoor wordt gevormd ligt elk deel in een andere gemeente. Het noordelijk deel van Renswoude is volop in ontwikkeling.

1 De spoorlijn Arnhem-Utrecht maakte de Grebbelinie weer iets toegankelijker, vanwege de hoge spoordijk die niet onder water gezet kon worden. Tijdens de meidagen werden de rails daarom over enige afstand verwijderd en werd er een spoorversperring gebouwd. Tegen infanterie groef men landmijnen in langs het spoor. Het Duitse leger was inderdaad van plan om een trein op dit tracé in te zetten, maar deze kon niet verder omdat de brug bij Westervoort opgeblazen werd.

2 S-kazemat voor lichte mitrailleur uit 1939-1940. Hoewel de soldaten het in 1940 vooral met houten loopgraven en onderkomens moesten doen, werd er ook een aantal gevechtsopstellingen in beton gebouwd. De mitrailleur in deze kazemat bestreek het gebied ten zuiden van het spoor. Tot vuurcontact met Duitse troepen kwam het niet. Wel naderden er op 12 mei teruggetrokken soldaten uit de voorposten. Deze werden echter teruggestuurd naar hun verlaten stellingen bij De Klomp.

3 Katholieke begraafplaats, gesticht in 1884. Sinds de achttiende eeuw vestigde zich in deze omgeving een katholieke gemeenschap. Op het middenpad van de begraafplaats begroef men tijdens de meidagen een gesneuvelde soldaat, die om het leven kwam toen hij op een landmijn bij het spoor stapte. De soldaat werd later herbegraven.

4 Vestinggracht om de redoute. Een redoute was een (meestal) met aarden wallen versterkte en geheel omsloten verschansing. Redoutes lagen soms als zelfstandige schans in het veld. In dit geval was de redoute opgenomen om de flanken van het fort te beveiligen.

5 De bouw van het fort in 1786 maakte een deel van de Slaperdijk overbodig, die hier oorspronkelijk een bocht maakte naar het noorden. De wallen van het fort namen de waterkerende functie immers over. Toch is een deel van het aarden lichaam bewaard gebleven.

6 In de redoute is een restant van de Pantherstellung aanwezig in de vorm van een bunker voor pantserafweergeschut. De stelling werd bezet door SS-troepen, die zich hier in de laatste dagen van de oorlog verschansten. Om in de omgeving op te gaan had men de bunker beschilderd met raampjes. Zo wekte men de indruk dat het om een 'Veluws huisje' handelde. Na de oorlog probeerden Nederlandse stoottroepen de bunker te laten springen, hetgeen nog aan de scheuren in beton zichtbaar is.

7 Deze uitspringende hoek in het fort is een lunet. Er zijn nog kanonopritten zichtbaar waardoor geschut in positie konden worden gebracht. In het fort was ruimte op de wallen voor ongeveer twintig kanonnen of houwitsers.

8 Terreplein. Aangezien het fort in oorlogssituaties plaats moest bieden aan ongeveer 350 soldaten, was er een flinke ruimte nodig voor het militaire tentenkamp en wapenoefening. Aan het einde van de achttiende eeuw bouwde men twee houten logeerloodsen en een gemetseld wachthuis op het terreplein. Deze gebouwtjes zijn niet meer aanwezig.

9 Bastion. Duidelijk zichtbaar is de kanonoprit in de keel (achterzijde) die naar het geschutsemplacement leidt. Het bastion is omgeven door de hoofdwal en loopt spits toe naar de saillant. De zijkanten van het bastion heten 'flanken', terwijl de delen gericht op de vijand 'face' worden genoemd.

Roode Haan-Werk aan de Daatselaar

 Deze etappe voert langs de grens tussen Utrecht en Gelderland over de oude Slaperdijk. Onderweg wordt een aantal belangrijke werken van de Grebbelinie aangedaan, zoals het Fort aan de Buursteeg, de Batterij aan de Schalmdijk en het Werk aan de Daatselaar. Een groot deel van de wandeling loopt u over onverharde en halfverharde paden.

① Valleistelling: sluis bij de Roode Haan

De sluis bij de Roode Haan is het punt waar de Grift of Valleikanaal de Slaperdijk kruist. Voor de inundatie was deze positie van groot belang omdat het water hier werd opgestuwd tot de Veense inundatiekom voldoende gevuld was. Vervolgens kon men water doorlaten naar de Groepse Kom. Aan de sponningen is nog zichtbaar waar bij een inundatie schotbalken konden worden geplaatst. De sluis werd in 1940 beschermd met luchtdoelgeschut, loopgraven en kazematten, bemand door het 22e regiment Infanterie.

② Grebbelinie: Linie van Juffrouwwijk

De Linie van Juffrouwwijk uit 1799 bestaat uit een hoornwerk en een liniewal, die de toegang naar de Emminkhuizerberg moesten afsluiten. De naam 'Juffrouwwijk' verwijst naar de 'vrouwe van Renswoude', Margaretha van Culemborg (1528-1608). Met 'wijk' wordt de waterweg door het veengebied bedoeld. In het natuurgebiedje ziet u tevens kazematten van de Valleistelling en een grote bunker van de Pantherstellung met het schietgat gericht op de Kooiweg. De sluis en de liniedijk werden rond 1986 gerestaureerd.

③ Grebbelinie: Batterij aan de Schalmdijk

De Batterij aan de Schalmdijk is in dezelfde periode gebouwd als het nabijgelegen Fort aan de Buursteeg: 1786. Met het geschut op de wallen kon de Slaperdijk en de Buursteeg bestreken worden wanneer de vijand door of om het Fort aan de Buursteeg was getrokken. Ook de toegangsweg uit Renswoude, de Schalmdijk, werd afgegrendeld en de Juffersluis bleef door deze afsluiting uit vijandelijke handen. Tijdens de mobilisatie van 1939 werden loopgraven aangelegd en betonnen kazematten gebouwd, die in mei 1940 onder artillerievuur kwamen te liggen. Hierbij sneuvelde een soldaat.

④ Grebbelinie: Fort aan de Buursteeg

In de achttiende eeuw vormde de Buursteeg een hoge en droge toegangsweg door de Grebbelinie naar het westen. Om deze af te sluiten werd in 1786 het Fort aan de Buursteeg aangelegd. Omdat het omringende gebied moeilijk onder water was te zetten, moest men echt werk maken van het fort, waardoor het tot de grootste werken van de Grebbelinie ging behoren. Hoewel het gebied op 13 mei 1940 onder artillerievuur kwam te liggen, maakten de granaten geen slachtoffers. Wel sneuvelde een Nederlandse soldaat in het mijnenveld dat door eigen troepen in de buurt van de spoorbaan was aangelegd. (Zie ook blz. 34-35)

⑤ De Slaperdijk

De Gelderse Vallei was eeuwenlang het toneel van overstromingen. Omdat de waterstand in de Rijn maar liefst zes meter hoger is dan het IJsselmeer, ontstond er bij hoog water in de rivier groot gevaar. De Grebbedijk bezweek in de loop der jaren regelmatig. Volgens de Utrechtenaren omdat de Geldersen onvoldoende aandacht aan de dijk besteedden. Op 7 december 1652 besliste men, dat er een slaperdijk moest komen; een dijk die pas gaat functioneren als elders een dijk doorbreekt. Vanwege de gespannen sfeer tussen Gelderland en Utrecht besloot men de dijk geheel op Utrechts grondgebied aan te leggen, hoewel dit betekende dat niet het ideale tracé gevolgd kon worden. Zo bleek bij een doorbraak in 1711 dat het water om de dijk heen kon stromen.

⑥ Coupure in de Slaperdijk

Op de plaats waar u de Arnhemse Weg oversteekt zijn aan weerszijden van de weg schotbalk-sponningen in een betonnen muurtje zichtbaar. De doorsnijding van de Slaperdijk betekende namelijk dat het water bij een overstroming over de weg richting Renswoude zou kunnen stromen. Door schotbalken in de sponningen te steken en de ruimte hiertussen op te vullen zou hier een waterbarrière gevormd kunnen worden.

⑦ De Munnikenheul

Wanneer u tijdens de wandeling de Munnikenheul passeert, zou u eens moeten kijken of u het ingemetselde peilmerk kunt vinden. De streep in de ingemetselde steen geeft aan hoe hoog het water tegen de Slaperdijk stond, bij de overstroming in 1855. De heul zelf werd gebouwd in 1862, als stevige vervanger van de oude Munnikenheul die op 9 maart 1855 's avonds om half 10 was doorgebroken. Er ontstond een gat van enkele tientallen meters en Renswoude overstroomde.

⑧ Grebbelinie: Het Werk aan de Daatselaar

Op de kop van de Slaperdijk werd in 1799 het grote Werk aan de Daatselaar aangelegd. Hierdoor lag het belangrijke sluisje in de Lunterse Beek veilig onder bescherming van de kanonnen wanneer de vijand het zou wagen deze te naderen. Bovendien sloot het fort de toe-

gang af tot de Slaperdijk en de Groeperkade. Twee houten wachters verwelkomen de wandelaars bij de toegangen van het fort. Bij recente restauraties zijn de wallen en geschutbanken weer onder profiel gebracht. (Zie ook blz. 40-41)

Roode Haan-Werk aan de Daatselaar (7,3 km)

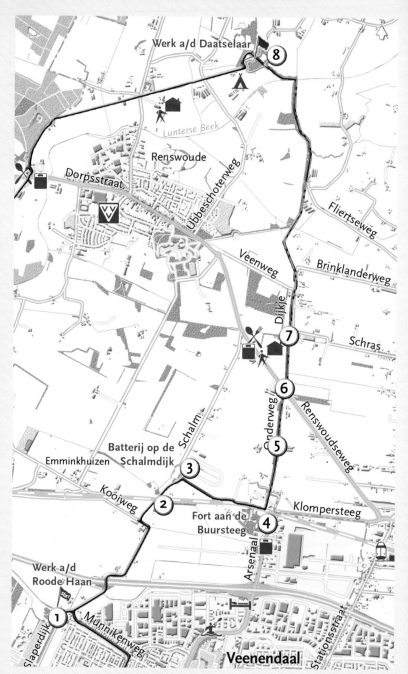

→ Vanaf de sluis bij de Roode Haan, over de Kooiweg, bij paddestoel 20134/001, weg volgen, gaat onder viaduct door.

- Na viaduct, bij paddestoel 20390/001 rechts aanhouden pad vervolgen, tegelpad.
- Na grote grijze silo in bocht, eerste pad rechtsaf, Schalm, steenslagpad. Na spoorwegovergang bij de Linie van Juffrouwwijk steenslagpad rechtdoor vervolgen.
- Bij infobord Batterij aan de Schalmdijk rechts aanhouden richting bank en prullenbak, schelpenfietspad.
- Bij paddestoel 20105/001 (aan uw rechterhand ziet u een deel van het Fort aan de Buursteeg) linksaf richting Renswoude/ Scherpenzeel. Fiets- en voetpad over de Slaperdijk steeds rechtdoor volgen, zijwegen en zijpaden negeren.
- Einde pad, bij paddestoel 20104/001 rechtdoor de Arnhemseweg oversteken (u ziet hier de coupure in de Slaperdijk) en na oversteek het pad vervolgen. U passeert de Munnikenheul.
- Pad steeds rechtdoor volgen, zijpaden negeren, einde schelppenpad bij paddestoel 20579 rechtdoor richting Lunteren.
- Ongeveer 100 meter na de Veenweg linksaf, smal zandpad, steeds rechtdoor volgen. We lopen nu weer op een Klompenpad, het Daatselaarpad.
- Bij slagbomen in het pad, het pad rechtdoor blijven volgen.
- Bij een houten wachtpost komen we in het Werk aan de Daatselaar, na wit brugje (over een oud sluisje) linksaf het pad vervolgen. We passeren een camping waar een kantine bij is voor eventueel rust. Bij het Werk aan de Daatselaar is Camping de Grebbelinie, tevens Bed & Breakfast.

← De wandeling begint bij Camping de Grebbelinie. Hier het dijkje op en deze volgen naar het Werk aan de Daatselaar, rechtdoor onverhard pad over Grebbelinie volgen, rechtsaf wit brugje over (over een oud sluisje) na brugje rechtdoor pad vervolgen door het Werk aan de Daatselaar. Zijpaden negeren en pad over de Grebbelinie blijven volgen.

- Bij twee slagbomen het pad rechtdoor vervolgen, en weer de zijpaden negeren.
- Einde pad, op asfaltweg, rechtsaf. Op driesprong bij paddestoel 20579 rechtdoor fietspad volgen richting de Klomp. U passeert de Munnikenheul.
- Asfaltpad gaat over in schelpenpad. Einde pad bij fietspad de weg (een coupure in de Slaperdijk) rechtdoor oversteken en schuin links het pad (Slaperdijk) over de Grebbelinie vervolgen, dit is bij paddestoel 20104/001, zijpaden negeren.
- Pad gaat over in asfaltwegje, daarna weer over in gravelpad, bij camping en uithangbord receptie rechtdoor pad vervolgen. Einde pad bij paddestoel 20105/001 rechtsaf (aan de andere kant van het spoor ligt voormalig Fort aan de Buursteeg).
- Waar het pad naar rechts buigt (spoorbaan verlaten) dit pad volgen en daarna links aanhouden fietspad, Schalm, het fietspad over de Grebbelinie volgen.
- Bij bank en afvalbak (bij de Batterij aan de Schalm) bocht naar links volgen (vlak voor het spoor staat een informatiepaneel over de Linie van Juffrouwwijk).
- Spoorbaan oversteken en steenslagpad vervolgen tot einde. Op de asfaltweg linksaf, weg blijven volgen onder viaduct door en na viaduct weg blijven volgen.
- Bij paddestoel 20134/001 rechtdoor tot de sluis bij de Roode Haan. De Roode Haan is tevens een recreatiegebied met picknickbanken en een parkeerplaats. Er is hier geen openbaar vervoer.

Delen van deze route worden tevens gebruikt door fietsers.

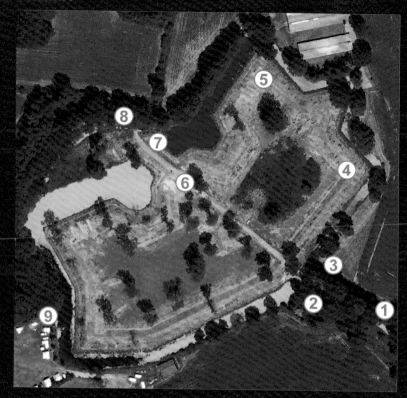

Werk aan de Daatselaar

Fort Daatselaar werd aangelegd in 1799 op de plaats waar de Groeperkade samenkwam met de Slaperdijk. Toen de Slaperdijk militaire betekenis kreeg, moest men immers voorkomen dat de vijand de hooggelegen dijk zou benutten om de Grebbelinie binnen te dringen. Sinds de zeventiende eeuw lag er bovendien een houten sluisje, dat in 1766 werd vervangen door een gemetseld exemplaar. Het waterwerk was van belang omdat de Lunterse Beek hier kon worden opgestuwd ten behoeve van een inundatie. Aanvankelijk probeerde men deze positie te verdedigen met een aarden redoute en lunet, die echter werden afgegraven toen het grote fort werd opgeworpen. De contouren van deze werken zijn nog altijd zichtbaar in het landschap ten noordoosten van de sluis. Dat het werk in de Franse periode werd aangelegd, vertelt iets over de Franse interesse in de Linie. De Grebbelinie zou goed van pas komen bij een Pruisische inval. Binnen het fort kwam een klein wachthuis en bij de aansluiting met de Slaperdijk, de keel, een stenen kruitmagazijn. Aan de voorzijde de nog altijd zichtbare schietsleuven voor kanonnen in de borstwering. Op het terreplein vallen in de hoeken de opritten (oprillen) op, bedoeld voor het in positie brengen van de kanonnen. Aan het einde van de negentiende eeuw was het fort vervallen en de 'natte' grachten waren dichtgegroeid. Het werk werd vanwege zijn vooruitgeschoven positie niet opgenomen in de voorpostenlijn van de Valleistelling in 1940. In de jaren tachtig van de vorige eeuw werd Fort Daatselaar gerestaureerd, inclusief de sluis met bruggetje. Sinds baggerwerkzaamheden in 2005 stroomt er weer water door de grachten van het bijzondere werk. In 2007 werden drie grenspalen teruggevonden van het ministerie van Oorlog. Deze hardstenen palen moesten de grenzen van de militaire rijksgronden aangeven. Staatsbosbeheer liet het werk in de eerste helft van 2008 opnieuw onder profiel brengen.

In verband met de inrichting van het Werk aan de Daatselaar zijn de wallen van het fort tot nader order niet toegankelijk. Wanneer dit wel mogelijk is, wordt dit bekend gemaakt op www.grebbelinie.nl. Onderstaande punten zijn vanaf het centrale pad door het fort te overzien.

① De Slaperdijk werd in 1652 aangelegd tot de huidige Ubbeschoterweg. In 1664 werd de dijk echter verlengd tot en met de Lunterse Beek. Een deel van de dijk in het middenterrein kon worden afgegraven omdat de wallen van het fort de waterkerende functie overnamen.

② Toen het fort gereed was, maakte men plannen voor de inrichting. Voor het kruitmagazijn maakte men een verbreding bij de Slaperdijk, zodat het kruit zover mogelijk verborgen was voor het vijandelijk geschut, dat hopelijk op afstand kon worden gehouden door de inundatie. De verbreding van de Slaperdijk is nog altijd aanwezig, maar van een stenen kruitmagazijn is niets meer te zien.

③ Het Waterschap heeft in 2005 de oude loop van de Lunterse Beek hersteld en het stroompje weer meanderend gemaakt. Daarmee is de oude situatie zichtbaar geworden, die na de kanalisering was verdwenen. Er stroomt weer water van de Lunterse Beek door de grachten waardoor tevens de waterkwaliteit verbeterde.

④ Het terreplein bood ruimte voor de exercitie van de 625 soldaten waarvoor het fort gebouwd was. Behalve een klein houten wachthuis stonden er geen gebouwen, zodat de troepen voor de overnachting aangewezen waren op een tentenkamp dat tussen de beschermende wallen kon worden ingericht.

⑤ Op de hoeken van het fort zijn de uitspringende vormen van het gebastioneerde front zichtbaar met ruimte voor geschut. De aarden emplacementen werden ten tijde van oorlog met beddinghout bekleed. Op de wallen was plaats voor zeventien kanonnen en houwitsers, die voor een belangrijk deel gericht waren op de Groeperkade en de hooggelegen gronden ten noorden van het fort.

⑥ De toegang tot het fort werd met posities voor geschut (een batterij) afgesloten. De aarden schietgaten of embrasures liepen altijd iets af naar buiten, zodat men zolang mogelijk vuur kon blijven uitbrengen op de vijand. Een houten kanon verwijst naar de bedoelde situatie.

⑦ Het damsluisje in de Lunterse Beek verving in 1766 het oude houten exemplaar. Een sluitsteen in de sluis vermeldt 'GLDE STEEN 1766', hetgeen betekent: Gelegd de Eerste Steen 1766. Een andere sluitsteen vermeld de naam van de metselaar: J. D. Pul.

⑧ De oude loop van de Lunterse Beek is zichtbaar ten noorden van de Groeperkade.

⑨ De Groeperkade werd in 1799 verlengd tot de Slaperdijk. Aanvankelijk wilde men de Groeperkade direct aansluiten op het fort, maar men zag hier van af. Een mogelijke vijand zou eerst langs het geschut van het fort moeten oprukken om het sluisje te bereiken, waar het bruggetje uiteraard verwijderd zou zijn.

Renswoude

Aan het begin van de negentiende eeuw was Renswoude een interessante inkwartierings-plaats voor soldaten, zolang de vijandelijkheden nog in een vroeg stadium verkeerden. Wanneer de inundaties gesteld werden, moest men echter rekening houden met natte voeten. Het merendeel van de voor inkwartiering geschikte woningen werd door de inundatie namelijk onbruikbaar of door water omringd. In dat geval moest men het hogerop zoeken en een kamp opslaan op de Emminkhuizerberg.

In de Tweede Wereldoorlog is hard gevochten in het buitengebied van Renswoude. De kern lag voor de linie en werd niet verdedigd; mede daardoor bleven grote verwoestingen uit. De bevol-king was uit voorzorg geëvacueerd. Dit geschiedde niet zonder problemen; een deel van de

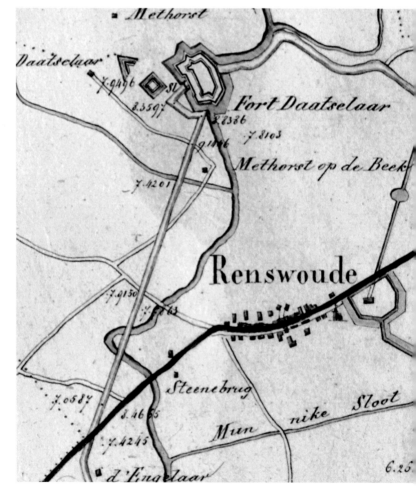

Renswoudenaren kwam tussen het evacuerende Veenendaal terecht, gingen aan boord van een schip die niet voor hen bedoeld was naar een bestemming waar eigenlijk geen ruimte voor hen was gereserveerd. Desondanks werden al deze reizigers in plaatsen langs de Lek opgenomen. De meeste evacués bereikten hun opvangadressen in Noord-Holland zonder problemen per spoor. Een oorlogsmonument op de kruising Dorpsstraat-Barneveldsestraat herinnert aan Renswoudse verzetstrijders en oorlogsslachtoffers.

Bezienswaardigheden Renswoude

In het hart van de Gelderse Vallei ligt het fraaie Renswoude. Kerk en kasteel zijn de meest opvallende historische elementen in en rond de dorpskern, maar Renswoude heeft meer te bieden. De plaats is tamelijk ongeschonden door de industriële revoluties gekomen en ademt een en al historie uit. De kern van het dorp wordt gevormd door de Dorpsstraat, hetgeen de ontwikkeling in de vorm van lintbebouwing benadrukt. Renswoude telt ruim 4.000 inwoners.

Kasteel Renswoude

Op de fundamenten van een oud kasteel (de Borchwal) uit de veertiende eeuw werd in 1654 kasteel Renswoude gebouwd. Twee dwarshuizen met hoektorens vormen het hoofdgebouw. Bij de watersnood van 1855 werd het kasteel ook getroffen; een gedenksteen naast de toegangspoort geeft aan hoe hoog het water stond. Binnen de muren werden in 1943-1944 evacués uit West-Nederland opgevangen. In het laatste jaar van de oorlog gebruikten de Duitsers het als opvangplaats voor gewonden. Het beheer wordt gevoerd door het Utrechts Landschap. Het kasteel wordt bewoond en is niet toegankelijk voor het publiek.

Grand Canal

Bijzonder element van de kasteeltuin Renswoude is het Grand Canal. De zevenhonderd meter lange waterpartij tegenover het kasteel strekt zich uit tot de Slaperdijk. Het 'kanaal' verbond oorspronkelijk de Flierbeek met de Munnikenbeek waardoor de slotgracht voorzien was van stromend water. Tegenwoordig vormt het een dankbaar decor voor wandelingen door de tuin in 'natuurlijke' Engelse stijl. Hier en daar is de oorspronkelijke Franse stijl nog zichtbaar in bloemperken met hagen.

De Duiventoren

Een fraai restant van de baroktuin achter het kasteel is de stenen duiventoren. Het bouwwerk werd na verloop van jaren aan de voorzijde wit geschilderd en voorzien van kantelen. Wie door de 'poort' kijkt ziet het kasteel, dat zich weerspiegelt in de gracht. Andersom hadden de bewoners goed zicht op de toren met twee bouwlagen. De vlieggaten zitten zowel aan de voor- als de achterzijde.
Andere bezienswaardigheden in de tuin zijn de kasteelboerderij met voormalige timmerwerkplaats en de dienstwoning van het kasteel.

De kasteeltuin is vrij toegankelijk en er zijn parkeerplaatsen. Ter plekke wordt aanvullende informatie over de groene en cultuurhistorische kwaliteiten van het gebied gegeven.

Koepelkerk

Een man die veel invloed uitoefende op de ontwikkeling van Renswoude was Johan van Rede (1594-1682). Hij vroeg in 1638 aan de Staten van Utrecht of hij een kerk mocht laten bouwen en een jaar later werd de eerste steen gelegd. Het grondplan bestaat uit een Grieks kruis met gelijke armen, terwijl de achtkante koepel tot de meest karakteristieke elementen behoort. De kerk werd ontworpen door de beroemde Jacob van Campen, bouwer van onder andere het paleis op de Dam. Ondanks de felle gevechten rond Renswoude bleef de kerk tijdens de meidagen 1940 vrijwel onbeschadigd, al moesten de twee kerkklokken in 1942 worden afgestaan aan de bezetter, die ze liet omsmelten voor de wapenindustrie. Van tijd tot tijd zijn er rondleidingen in de koepelkerk. Jaarlijks houdt men een bazaar voor het onderhoud van de kerk.

De Pastorie

Het huidige gemeentehuis is het oudste huis van het dorp. In 1651 werd 'nummer 4' als pastorie gebouwd. Het bestaat uit een tweebeukig hoofdgebouw met zadeldaken. Opvallend zijn de Utrechtse luiken in roodwit en de rode oud-Hollandse pannen op het dak. De bewoners van de pastorie waren aanvankelijk predikanten, maar in de verschillende delen van het huis hebben tevens een schoolmeester, een tuinman en een veldwachter gewoond. Voor het gemeentehuis staat de dorpspomp.

De Nieuwe Buurt

De woningen 16 tot en met 38 vormen de Nieuwe Buurt in Renswoude. Deze schilderachtige huizen werden gebouwd tussen 1773 en 1780 voor het personeel van het kasteel. De woningen zijn gebouwd in vijf blokken, die met muurankers (jaartallen) werden gesierd. Lodewijk Napoleon, op doorreis, was enthousiast over deze goed gebouwde woningen, die wel geschikt zouden zijn voor een kampement. Achter het huis hielden de bewoners vee, tot dat verboden werd vanwege stankoverlast. Ook hier zien we roodwitte luiken; de kleuren van Utrecht én van het familiewapen Taets van Amerongen. De huizen werden in 1975-1978 gerestaureerd.

Werk aan de Daatselaar-De Groep

Deze tocht voert door de Groepse Kom, een route waar natuur en cultuurhistorie om voorrang strijden. Onderweg blijkt dat er twee winnaars zijn, want de omgeving heeft in beide opzichten veel te bieden. Het bladerdak van de Groeperkade biedt in de zomer wat schaduw, terwijl het tevens de eerste regen opvangt. Door de beschutte wandeling op het dijkje ziet u nét iets meer van het omringende landschap en de vogels en dieren die er vertoeven.

① Grebbelinie: Groeperkade

Bij Fort Daatselaar ontmoet de oude Slaperdijk de Groeperkade. Aan weerszijden is een waterloop te zien. Tussen camping De Grebbelinie en de kade stroomt het water van de Lunterse Beek. Het Waterschap Vallei & Eem zorgde ervoor dat de beek ook weer door de gracht van het fort stroomt, hetgeen de waterkwaliteit ten goede komt. De Groeperkade werd in twee fases aangelegd. In 1795 wierp men een betrekkelijk korte kade op, waar het water omheen had kunnen stromen. In 1799 verlengde men de kade tot de Slaperdijk omdat men geen hooggelegen gronden kon vinden waartegen de kade kon eindigen. Omdat de andere kaden al eerder waren aangelegd, noemde men het dijkje enige tijd 'de Nieuwe Kade'.

② Grebbelinie: aspalen

Op de Groeperkade lag bij elke knik in het dijklichaam een zogenaamde 'aspaal', een stenen paal die als referentiepunt voor opmetingen van de militaire rijksgronden werden gebruikt. Ze

zijn hoogstwaarschijnlijk halverwege de negentiende eeuw geplaatst. Elke steen heeft een letter, zodat u tijdens de tocht wat te speuren en te lezen heeft, tot de letter 'O' op de plaats waar de Groeperkade tegen het fort aan loopt.

③ Poelen

Met enige regelmaat komt u tijdens de tocht poelen tegen die door Staatsbosbeheer zijn aangelegd. De watertjes zijn bedoeld als stapstenen voor de natuur. Deze zijn van belang voor ecologische verbindingszones. Ze vormen een interessant leef- en voortplantingsgebied voor allerlei dieren. Dankzij de stapstenen kunnen zij zich ook langs de zone verplaatsen en wordt de omgeving nog gevarieerder.

④ Monumentje

Tussen De Dennen en verdedigingswerk De Engelaar staat een eenvoudig wit kruis. Het bordje vermeldt vijf namen. De mannen werden bij wijze van represaille uit de gevangenis in Utrecht gehaald en gefusilleerd op deze plaats. De bezetter besloot tot deze maatregel na een actie van Renswoudse verzetstrijders, die een Duitser om zijn geweer neerschoten. Veertien november 1944, om half één, werd het uitgevoerd.

⑤ Engelaar

Niet ver van de Utrechtseweg en nog net zichtbaar door de bomen van de Groeperkade ligt de voormalige buitenplaats Engelaar. De luiken zijn gekleurd in het roodwit van het wapen van de familie Taets van Amerongen. Het huidige woonhuis is gebouwd op de fundamenten van het oude herenhuis dat hier stond en werd afgebroken in 1936.

⑥ Grebbelinie: damsluis in de Lunterse Beek

Dit damsluisje werd gebouwd in 1865. Het verving een eenvoudig houten voorganger. Door schotbalken in de sleuven te laten zakken zou het water kunnen worden opgestuwd om daarmee de Groepse Kom te vullen. Dat dit nog niet zo eenvoudig was, bleek in 1940. De militairen probeerden het water te stuiten met schotbalken en extra zandzakken, maar er sijpelde teveel water door waardoor de inundatie onvoldoende slaagde.

⑦ Grebbelinie: Werk aan de Engelaar

De Engelaar werd aangelegd in het zelfde jaar dat de Groeperkade werd verlengd tot Daatselaar: 1799. Met dit open aarden hoornwerk kon men het sluisje beschermen, dat voor de inundatie zo belangrijk was. Het werkje werd in mei 1940 bezet door enige tientallen soldaten onder leiding van kapitein Moquette. Ze wisten in hun loopgraven diverse aanvallen met lichte artillerie en mortieren van een Duits bataljon af te slaan. Munitiegebrek noopte de bezetting in de avond van 13 mei om zich over te geven.

⑧ De Groep

De Groep is een buurtschap op de grens van de gemeente Renswoude en gemeente De Utrechtse Heuvelrug. Toen de buurt aan het begin van de negentiende eeuw door militairen werd onderzocht waren er elf woningen, waarvan er zes geschikt waren voor inkwartiering. De buurtgemeenschap bestond in 1807 uit 60 mensen, 11 paarden en 48 runderen.

Werk aan de Daatselaar-De Groep (7,5 km)

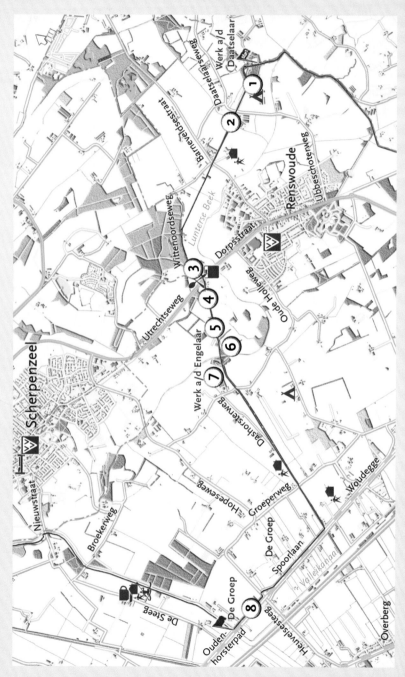

ROUTEBESCHRIJVING

→ De start van deze wandeling is bij camping Grebbelinie waar u de Groeperkade kunt volgen (het dijkje dat langs de camping loopt). Einde onverharde pad rechtdoor asfaltpad volgen, wegje rechtdoor oversteken en onverharde pad rechtdoor vervolgen.

• Weer een weg (bij bank en infobord en grijs kastje) schuin naar links oversteken en tussen de bomen door en door een hekwerk het dijkje volgen.

• Een paar keer een trap af en trap op en het dijkje steeds rechtdoor blijven volgen. Na hekwek rechtsaf trap af en linksaf steenslagpad volgen.

• Vlak vóór boerenerf rechtsaf smal onverhard pad door boomsingel volgen, bij bordje Grebbelinie. Onderweg komt u aspalen en poelen tegen.

• Einde pad schuin rechts de weg oversteken (rechts is een rustgelegenheid in restaurant De Dennen en een bushalte). Na oversteek onverhard pad door boomsingel rechtdoor vervolgen. Aan dit pad passeren we een monumentje op de plek waar vijf mensen zijn doodgeschoten.

• Pad rechtdoor volgen, u passeert boerderij de Engelaar, zijpaden negeren, breed bospad rechtdoor oversteken en pad vervolgen door boomsingel.

• Na brugje over een sluis rechtdoor het pad vervolgen, door het Werk aan de Engelaar, asfaltwegje oversteken en na oversteek rechtdoor pad vervolgen.

• Weer een asfaltwegje oversteken en smal pad rechtdoor vervolgen door boomsingel.

• Einde pad op weg, rechtsaf asfaltweg volgen.

• Einde weg linksaf en eerste weg rechtsaf Groep- c.q. Heuvelsesteeg.

• Na vaste brug rechtsaf, pad langs Valleikanaal volgen, dit is de Grebbeliniedijk. De doorgaande route voert over de Grebbeliniedijk. Wanneer u de wandeling hier beëindigt, is het goed om te weten dat een aantal gelegenheden op loopafstand ligt. Bed & Breakfast De Boerenstee, Theeschenkerij De Uitrusting, groepsaccommodatie 'De Liniedijk' en Hofstede Hooybroeck zijn vanaf het eindpunt bereikbaar via De Groep en De Steeg.

← We verlaten de liniedijk na sluisje en ijzeren hek, bij groene kast, linksaf vaste brug over (De Groep). Rechtdoor asfaltweg volgen, zijwegen negeren.

• Einde weg linksaf, Heuvelsesteeg, na ongeveer 30 meter rechtsaf, Spoorlaan.

• Vóór huisnummer 11 met uithangbord 'Familie van Deelen, Spoorlaan 11' scherp linksaf langs groen kastje, onverhard pad volgen over de Grebbelinie.

• Asfaltweg bij bank rechtdoor oversteken en pad rechtdoor vervolgen. We lopen nu ook weer op een Klompenpad, het Daatselaarpad.

• Weer een asfaltweg oversteken en na oversteek rechtdoor Grebbelinie vervolgen, dit is bij een bank en afvalbak, pad rechtdoor volgen, zijpaden negeren. U passeert het Werk aan de Engelaar.

• Na sluisje met brug over de Lunterse beek rechtdoor pad vervolgen. Breed zandpad rechtdoor oversteken en rechtdoor pad vervolgen. U passeert boerderij De Engelaar en een monumentje, zijpaden negeren.

• Einde pad, bij fietspad, rechtdoor het fietspad oversteken en schuin rechts de weg voorzichtig oversteken (links is een rustgelegenheid in café-restaurant De Dennen).

• Na oversteek het Grebbeliniepad vervolgen, zijpaden negeren (onderweg diverse poelen en aspalen). Smal pad gaat bij boerderij over in een breed pad, pad vervolgen.

• Waar de bomenrij aan de rechterkant ophoud, rechtsaf bij een rechtopstaande biels en houten trap op. Boven aan de trap linksaf dijkje volgen over het landgoed Wittenoord.

• Dit dijkje (Groeperkade) steeds blijven volgen, een paar keer een trap af en trap op en dijkje vervolgen na hekwerk en tussen de bomen door naar de asfaltweg.

• Asfaltweg oversteken en rechtdoor Grebbeliniepad vervolgen.

• Over een betonbrugje pad blijven volgen, einde onverhard pad wegje oversteken en asfaltwegje rechtdoor volgen. Bij camping De Grebbelinie aan de rechterkant van het pad is een rustgelegenheid in de kantine. De doorgaande route leidt over het dijkje.

Delen van deze route worden tevens gebruikt door fietsers.

Woudenberg

Woudenberg speelde een belangrijke rol in de eerste plannen uit 1582-1590 om een verdedigingslinie te formeren in de Gelderse Vallei. Het gebied was door alle moerassen, nauwelijks te passeren, maar in Woudenberg was een doorgang waar vijandig krijgsvolk naar het westen kon trekken. Er werd een rapport geschreven waarin men pleitte voor een schans om deze toegangsweg af te sluiten. De smalle en ondiepe Grift zou volgens de rapporteur verdiept moeten worden en met de uitgebaggerde grond kon een verdedigingswal of landweer achter de Schoonderbeekse Grift worden aangelegd. Om deze werken te verdedigen zouden vierhonderd man voetvolk met vijftig of zestig paarden nodig zijn. Uiteindelijk werd de schans aangelegd,

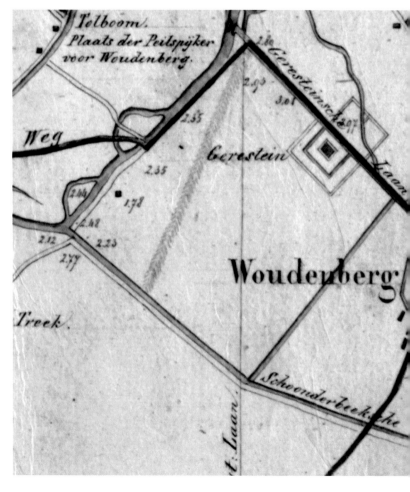

maar bleven heldendaden uit. De bezetting poetste in 1629 de plaat toen de Spanjaarden naderden uit de richting van Scherpenzeel. Bij de aanleg van de Grebbelinie in de achttiende eeuw bezocht men het aarden verdedigingswerk in Woudenberg, maar gaf er geen geld meer aan uit. De schans werd deels doorsneden in 1826 door de straatweg, maar is nog altijd herkenbaar aan de grachten en het oostelijke bastion. Op de schans was tijdens de mobilisatie een restaurant gevestigd, waar de soldaten graag vertoefden. Het terrein was tevens een verzamelplaats toen het veldleger zich in de nacht van 13 op 14 mei terugtrok op de Nieuwe Hollandse Waterlinie.

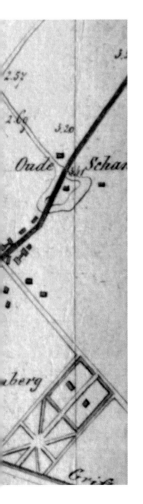

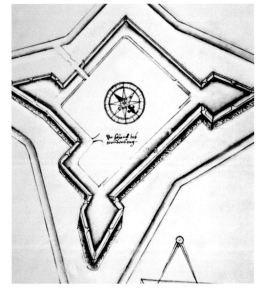

Bezienswaardigheden Woudenberg

De oude kern van Woudenberg bevindt zich op een dekzandrug, een opgestoven hoogte van enkele meters zand. De naam van de plaats wijst op deze enigszins verheven positie temidden van bosrijk gebied. Het centraal gelegen Woudenberg is een groeigemeente van meer dan 10.000 inwoners en is onder andere bekend door het Henschotermeer en de Pyramide van Austerlitz. De plaats zelf is echter ook zeker een bezoek waard.

Woning voor de stationschef aan de Spoorlaan

Op 10 mei verzamelde zich een grote groep geëvacueerde mensen uit Woudenberg, Scherpenzeel en Renswoude bij het stationnetje van Woudenberg. De trein voor de Renswoudse bevolking arriveerde te laat, waardoor ze de nacht in barakken bij het station moesten doorbrengen en pas zaterdagavond 11 mei konden vertrekken. Die wachttijd zorgde ervoor dat een hoogzwangere vrouw bij het station beviel van een kind, dat bij aankomst in Alkmaar in het ziekenhuis werd opgenomen. Het station werd in 1957 afgebroken, maar de woning van de stationschef en een loods herinneren nog aan de spoorwegen en de evacuatie.

Klein Geerestein

Dwarshuisboerderij Klein Geerestein uit 1838 vormt met de toren, een hooiberg en een schuur een opmerkelijk geheel langs de Geerensteinselaan. Op de verdieping van Klein Geerestein bevindt zich een herenkamer, die ook via een wenteltrap in de toren bereikbaar was voor de bewoners. De toren werd in 1849 gebouwd en via een tussenbouw verbonden met de boerderij.

Huis Geerestein

Direct ten noorden van Woudenberg, aan de Geerensteinselaan, ligt buitenplaats Geerestein. De naam verwijst naar de schuin toelopende vorm van het kavel waarop de oorspronkelijke versterkte hoeve in de veertiende eeuw werd gebouwd. Een hoeve die na verschillende verbouwingen uitgroeide tot een kasteel en in de negentiende eeuw tot een huis in neoclassicistische stijl. De voormalige koetsierswoning aan het voorplein werd voorzien van een bepleistering met blokimitatie. Geerestein werd tijdens de mobilisatie bevolkt door soldaten van het 21e Regiment Infanterie.

De Grote Kerk

De dorpskerk van Woudenberg werd in de tweede helft van de veertiende eeuw gebouwd met materiaal van het verwoeste kasteel Woudenberg. De kerk was gewijd aan de heilige Catharina en viel onder de parochie van Amerongen. In de loop der eeuwen werd de kerk getroffen door plunderingen, storm, brand en verwaarlozing. Na de reformatie kwam de kerk in handen van de protestanten. De muren van het schip en de kerktoren uit de vijftiende eeuw behoren tot de oudste delen van deze kerk, die rond 1800 werd uitgebreid. De laatste restauraties dateren uit 1952 toen de kerk een kruisvormige plattegrond kreeg door aanbouwen aan weerszijden.

Het Schoutenhuis

Aan de Voorstraat 12 vindt u het Schoutenhuis. De schout was in de Middeleeuwen het hoofd van het dorpsbestuur. In zijn huis was tevens een herberg aanwezig, een uitstekende plaats om te vergaderen en recht te spreken, zo oordeelde men. Het dwarshuis werd in 1913 verbouwd, waarbij het muurwerk werd vernieuwd. Hoewel er diverse nieuwe elementen en materialen in het huis verwerkt zijn, heeft het Schoutenhuis zijn historische uitstraling behouden.

Gemeentehuis

Het raadhuis aan de Parklaan 1 komt met de fraaie luiken en het achtzijdig torentje ouder over dan ze werkelijk is. Het werd in 1936 gebouwd in neorenaissancestijl en doorstond vier jaar later de beschietingen op Woudenberg, waarbij meer dan vijftig andere percelen geheel werden verwoest.

De Groep-Pothbrug

Een wandeling over de onverharde Grebbeliniedijk langs de Lambalgerkom. Vele kazematten verwijzen naar de strijd die op 13 mei 1940 losbrandde in het gebied. Waar destijds het geluid klonk van mitrailleurs en overvliegende granaten is de dijk thans het domein van talloze vogels en een kudde schapen

① Grebbelinie: damsluis in de spoorbrug

De aanleg van de spoorlijn Arnhem-Utrecht in 1843 betekende een nieuwe hoge en droge toegangsweg door de Grebbelinie. Men benutte de nieuwe spoorbrug in militair opzicht door er

een damsluis van te maken. Hierdoor kon het deel ten zuiden van de spoorlijn tot de liniedijk onder water worden gezet. De sponningen voor de schotbalken zijn nog altijd zichtbaar. In 1935 bouwde de Genie een wachthuisje bij het spoor en tijdens de meidagen 1940 werd er luchtdoelartillerie opgesteld dat in actie moest komen om de damsluis te beschermen.

② Het Broekerbos

Ten noorden van de spoorlijn valt een bosrijk gebied op aan de overzijde van het water. In dit Broekerbos ligt nog altijd een restant van een antitankkanaal. Dat kanaal was nodig, omdat delen van de inundatiekom te hoog lagen voor de inundatie. In het bos woont al sinds 1975 een reigerkolonie en er komen reeën om te rusten. De watergang tussen bos en dijk droeg hier voor de aanleg van het Valleikanaal de naam Broekersloot. Ze verbond de Schoonderbeekse Grift met de Lunterse Beek in 1647.

Het bos is niet toegankelijk voor publiek.

③ Lambalgen

Waar de Lunterse Beek uitmondt in het Valleikanaal ligt het landgoed Lambalgen, dat al genoemd werd in de vijftiende eeuw. De oude hofstede werd in de negentiende eeuw vervangen door een landhuis, dat in 1953 afbrandde. Alleen de fraai versierde hekken duiden nog op de grenzen van het landgoed, dat enige tijd met 'Beekhorst' werd aangeduid. In 1793 werd de liniedijk ter hoogte van Lambalgen omgevormd tot post. Er werden emplacementen aangelegd voor het plaatsen van geschut waarmee de Lambalgerkeerkade bestreken kon worden. Er werd tevens een eenvoudig verdedigingswerk gemaakt achter de Lunterse Beek; een lunet. Het landgoed is gedeeltelijk opengesteld voor het publiek.

④ Valleistelling: kazemat van het veldleger

Niet ver van de Lambalgerbrug ligt een kazemat op de dijk die anders is dan de andere kazematten die u tot dusver heeft gezien. Het betreft een unieke kazemat van het veldleger, dat in 1939-1940 vooral in hout bouwde, maar wij wijze van uitzondering hier en daar beton mocht gebruiken. De verschillende kazematten werden verbonden door loopgraven, die vrijwel overal zijn dichtgegooid. Tegenover de Lambalgerbrug is een Toeristisch Overstappunt (TOP) van de Grebbelinie met picknickbank, informatie en een parkeerplaats.

⑤ Valleistelling: loopgraaf

Ter hoogte van Hoeve de Beek ligt een gereconstrueerde loopgraaf, die een beeld geeft van de wijze waarop de liniedijk tijdens de meidagen van 1940 versterkt werd. Een mitrailleurnest, een scherfvrije ruimte, schietgaten en een deels betonnen onderkomen voor een stuk pantserafweergeschut herinneren aan de strijd bij Scherpenzeel. Hier werd een grote aanval op de Grebbelinie afgeslagen door het 15e Regiment Infanterie en de artillerie. De Stichting Grebbelinie in het Vizier vertelt het verhaal van de linie aan leerlingen van scholen in de wijde omtrek.
De loopgraaf is vrij te bezoeken. In Hoeve de Beek is een permanente expositie aanwezig over de Grebbelinie. (zondag gesloten)

⑥ Grebbelinie: damsluis bij de Pothbrug

Op korte afstand van de Pothbrug ligt een damsluis uit 1865. In dat jaar werd de straatweg Woudenberg-Scherpenzeel als komkering in gebruik genomen. Een korte kade verbindt de

sluis met de weg, zodat het water niet om de sluis kon stromen. In het water liggen oranje bollen om kanoërs voor de sluis te waarschuwen. Dichtbij de sluis is tevens een vistrap die door het Waterschap is aangelegd.

De Groep-Pothbrug (4,3 km)

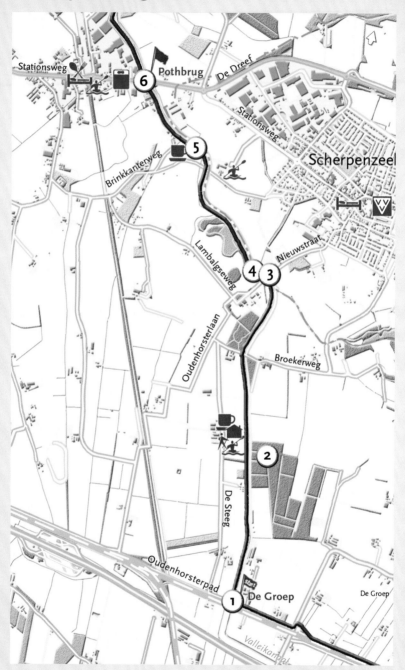

→ De wandeling begint bij de vaste brug over het valleikanaal bij De Groep. Vanaf hier is de damsluis in de spoorbrug te zien. Vervolgens het pad langs Valleikanaal volgen, graspad, dit is de Grebbeliniedijk (u passeert na enige tijd het Broekerbos aan de overzijde). Na klapkje asfaltweg rechtdoor oversteken en onverhard pad over heuvelrug vervolgen.

• We lopen nu weer op een klompenpad, het Oudenhorsterpad; we passeren op het pad meerdere bunkers/kazematten.

• Na klaphekje rechtdoor asfaltweg oversteken en na oversteek rechtdoor pad vervolgen over de Grebbelinie.

• Bij weer een asfaltweg, Lambalgseweg, en vaste brug de weg rechtdoor oversteken (als we hier rechtsaf gaan lopen we Scherpenzeel binnen, hier zijn diverse rustgelegenheden en een busverbinding met Amersfoort). Na oversteek direct links aanhouden, bij bord Grebbelinie, smal onverhard pad volgen.

• Na een hek de grasdijk volgen op de Grebbelinie, hier passeren we ook weer diverse kazematten. Door een klaphekje en dan rechtdoor de weg oversteken (bij vaste brug) en na oversteek door klaphekje rechtdoor pad vervolgen.

• Bij weer een klaphekje door dit hekje en pad door de loopgraaf volgen, dan weer door een klaphekje en pad rechtdoor vervolgen.

• Links passeren we een boerderij (Hoeve de Beek) waar een expositie is over de Grebbelinie; deze expositie is zondags gesloten. Hier is tevens slaapgelegenheid in kippenhokken!

• Na weer een klaphekje rechtdoor de asfaltweg volgen langs de watertoren tot de drukke weg bij de Pothbrug tussen Scherpenzeel en Woudenberg (N224). Voor de doorgaande route deze oversteken. Hier is tevens een bushalte (buslijn 80 naar NS station Amersfoort). Op loopafstand ligt voorts een hotel-restaurant.

← De wandeling begint bij de verkeersweg (N224) tussen Woudenberg en Scherpenzeel, bij de bushalte rechtdoor de drukke weg oversteken.

• Na oversteek rechtdoor asfaltweg volgen langs de damsluis en de watertoren. Einde verharde weg, bij bord waterwingebied, rechtdoor door klaphekje en pad rechtdoor vervolgen.

• Na klaphekje rechtdoor de asfaltweg oversteken en na oversteek rechtdoor het pad vervolgen over de Grebbelinie.

• Rechts is een boerderij met een expositie over de Grebbelinie. Rechtdoor door klaphekje en pad door loopgraaf volgen, na loopgraaf weer door klaphekje en rechtdoor pad vervolgen.

• Na weer een klaphekje de asfaltweg rechtdoor oversteken en na oversteek rechtdoor pad vervolgen over de Grebbelinie. U passeert diverse kazematten.

• Na weer een klaphekje de weg (Lambalgseweg, als we hier linksaf gaan lopen we Scherpenzeel binnen, hier is een bushalte en diverse rustgelegenheden) rechtdoor oversteken en na oversteek weer door klaphekje pad over de Grebbelinie vervolgen.

• Bij geel bord klompenpad rechtdoor pad over de dijk vervolgen. Na verloop van tijd passeert u het Broekerbos aan de overzijde van het kanaal.

• Na sluisje en ijzeren hek, bij groene kast zijn we aan het einde van deze wandeling. Hier ziet u de damsluis in de spoorlijn. Het vervolg van de doorgaande route is linksaf vaste brug over.

Op loopafstand zijn diverse gelegenheden via De Groep en De Steeg te bereiken, zoals Bed & Breakfast De Boerenstee, Theeschenkerij De Uitrusting, groepsaccommodatie De Liniedijk en Hofstede Hooybroeck.

Deze route is niet toegankelijk voor honden.

Scherpenzeel

Nederzettingen in de Gelderse Vallei ontstonden op hoger gelegen plaatsen. Voor Scherpenzeel
gold dit ook, hetgeen de ontwerpers van de Grebbelinie voor problemen stelde. De vijand kon
immers via dit gebied de linie dicht naderen en men bedacht oplossingen om de vijand op
een afstand te houden. Zo dacht men in 1840 aan het opwerpen van enkele lunetten tussen
de straatweg en de liniedijk (zie gele 'driehoekjes' op de kaart). Dit werd echter niet uitgevoerd, omdat de vijand deze verdedigingswerken in de flanken en de rug kon aanvallen.
Dat de weg door Scherpenzeel een interessante aanvalsroute vormde voor de vijand, bleek wel
tijdens de meidagen van 1940, toen hier een grote aanval op de Grebbelinie plaatsvond.

Omdat de legerleiding dit had voorzien, was de Scherpenzeel ingericht als voorpost, waarbij ook huizen en schuren werden gebruikt ter verdediging. Hoewel een deel van de soldaten van het 15e Regiment zich terugtrok, leverde een ander deel felle gevechten; tot de plaats werd ingenomen door het Duitse leger. De beschietingen zorgden ervoor dat grote delen van Scherpenzeel met de grond gelijk werden gemaakt.

Een opmerkelijk element bij Scherpenzeel is de Lambalgerkeerkade, die tot de straatweg loopt. Hoewel de functie als keerkade in 1865 door de straatweg werd overgenomen, werd de kade niet afgegraven.

Bezienswaardigheden Scherpenzeel

Scherpenzeel is een dorp in de Gelderse vallei dat ontstaan is rond 1200. De naam Scherpenzeel verwijst naar een versterkt huis. Een huis (zale) omringd met palissaden, dat waren puntige (scherpe) palen die als barrière werden gebruikt. In het grensgebied van Gelre en 't Sticht waren verdedigingswerken geen overbodige luxe. In Scherpenzeel wonen tegenwoordig ruim 9.000 inwoners.

De Oude kerk

De Nederlands-hervormde Kerk aan de Dorpsstraat werd gebouwd in de veertiende eeuw. In de loop der eeuwen werd de kerk uitgebreid om ruimte te bieden aan het groeiende aantal kerkgangers. Vlak voor de Tweede Wereldoorlog was er nog een grote verbouwing aan de kerk, die tijdens de beschietingen van mei 1940 ternauwernood ontkwam aan verwoesting. Toch zou de Grote Kerk niet ongeschonden uit de oorlog komen. Vlak voor de bevrijding bliezen de Duitsers de toren op, waarbij ook een belangrijk deel van het schip werd verwoest. Na drie jaar van wederopbouw kon de Oude Kerk haar deuren weer voor diensten openen.

Huize Scherpenzeel

De historie van dit adellijke huis gaat terug tot de veertiende eeuw, toen het een kasteel was met mogelijk een dubbele gracht. De familie Van Scherpenzeel, die het eeuwenlang bewoonde, breidde het uit tot het in de achttiende eeuw werd verbouwd tot een landhuis in classicistische stijl. Na de Tweede Wereldoorlog waren er restauraties nodig om het ernstig beschadigde huis weer bewoonbaar te maken. Het rijksmonument werd in 2005 overgedragen aan de Vrienden der Geldersche Kasteelen. De bovenverdieping wordt gebruikt door de Stichting Vernieuwing Gelderse Vallei, die zich inzet voor herstel en beleefbaarheid van de Grebbelinie.

Koetshuis

Wie Huize Scherpenzeel nadert via het toegangshek aan de Burgemeester Royaardslaan, ziet al snel het koetshuis aan de linkerhand liggen. Het gepleisterde koetshuis in neotudorvormen is gebouwd in 1856, toen Huis Scherpenzeel werd verbouwd. De veranda is fraai met smeedijzeren versieringen. Tijdens de mobilisatie werden militairen op de zolder van het koetshuis ingekwartierd.

Gemeentehuis

Het gemeentehuis van Scherpenzeel werd tijdens de meidagen van 1940 verwoest. Op de kruising van de Burgemeester Royaardslaan en de Dorpsstraat staat dus het gemeentehuis zoals dat in 1941 her- bouwd werd. Boven de ingang is het wapen van Scherpenzeel zichtbaar. Het wordt niet meer als gemeentehuis gebruikt; het nieuwe pand is te vinden aan de Stationsweg.

Het Hoge Huys

Dit statige huis met trapgevel vindt u bij Plein 1940. De naam van het plein refereert aan de beschietingen in 1940. Op de plaats van het huidige plein stonden vele woningen die alle zijn verwoest en niet zijn herbouwd. Het Hoge Huys is echter blijven staan. Het is een gebouw uit

de eerste helft van de zeventiende eeuw. Er wordt nog gegist naar de oorspronkelijke bestem- ming van het gebouw; mogelijk werd er wol opgeslagen of bier gebrouwen. Na restaura- ties in 1970 heeft het gefungeerd als verpleeg- huis.

Pothbrug-Leusbroekerweg

Deze kortere wandeling biedt u de gelegenheid om uitstapjes te doen naar de voorpost op de Roffelaarskade en het spoortracé achter de linie. Vanaf de dijk heeft u prachtig uitzicht op

het omringende landschap dat in 1940 het terrein van het 21e Regiment Infanterie was. Nu één van de mooiste delen van de liniedijk vanaf het moment dat het groen afstand heeft genomen van het industrieterrein van Woudenberg. Met een beetje geluk ziet u de ijsvogel over het kanaal scheren.

① Pantherstellung: Duitse Kanonkazemat

Niet ver van de Pothbrug ligt hoog op de dijk een Duitse kanonkazemat van het type Regelbau 703. Het Duitse leger had de toegang naar Woudenberg stevig afgesloten met versperringen ter hoogte van de Pothbrug en een hindernis bij Woudenberg. De kanonkazemat was ontworpen voor een stuk 88 mm pantserafweergeschut, dat geallieerde tanks uit het westen had kunnen uitschakelen. Het geallieerde leger naderde de liniedijk echter uit het oosten en de tanks bleven op veilige afstand van de Pantherstellung.

② Damsluis in de Roffelaarskade

De damsluis in de Roffelaarskade maakte het mogelijk om de inundatie te stellen in de Roffelaarskom. De sponningen in de sluis duiden nog op deze functie. Het waterwerk werd gebouwd in 1865 op de plaats van de oudste sluis uit 1745. De damsluis functioneert tegen-

woordig als stuw, waarmee het waterschap de waterstand kan reguleren. Dit werk kan tegenwoordig dankzij de moderne stuwvoorziening en de (groene) machinekasten op afstand worden gedaan.

③ Vistrap bij de Roffelaarskade

Naast de stuw is een fraaie vistrap zichtbaar, die in 2002 door het Waterschap Vallei & Eem werd aangelegd. Vissen willen stroomopwaarts zwemmen om in de bovenloop van het water te paaien. De stuw vormt echter een onneembare hindernis voor vissen die naar het zuiden willen zwemmen. De vistrappen vormen dus belangrijke elementen in de ecologische zone langs het Valleikanaal. Er wordt vooral door de snoek, de winde en de modderkruiper gebruik van gemaakt.

④ Voorwerk op de Roffelaarskade

Keerkaden waren zwakke plekken in de Grebbelinie. In 1745 werden er verdedigbare torens aan de zijde van de liniedijk gebouwd, waardoor men de over de kade oprukkende vijand kon

beschieten. Daarmee kon de verdediger echter niet voorkomen dat de vijand de keerkade zou doorsteken op enige afstand van de liniedijk. Daarom werd in 1793 een voorwerk aangelegd op de Roffelaarskade. De vormen zijn met enige moeite nog in het prachtige natuurgebiedje te herkennen. Boven de grachten jaagt het ijsvogeltje, dat in de wallen nestelt.

⑤ Bruinenburgersluis

De Bruinerburgersluis werd in 1786 gebouwd door de genie. Dat moment is vastgelegd in de eerste steen, die de vrouw van de verantwoordelijk officier mocht leggen. In vredestijd kon het water van de Lunterse Beek ongehinderd westwaarts stromen en samenvloeien met de Heiligenbergerbeek richting Amersfoort. Ten tijde van oorlog werd het gebied ten oosten van de linie onder water gezet. Daartoe werd de Bruinenburgersluis voorzien van twee dubbele

schotbalksponningen. De sluis ontleent haar naam aan het inmiddels verdwenen 'Huise Bruinenburg', een hofstede met een gracht en een torentje. Het waterwerk werd in 2000 en 2007 gerestaureerd in opdracht van het Waterschap Vallei & Eem.

Pothbrug-Leusbroekerweg (3,3 of 4,8 km)

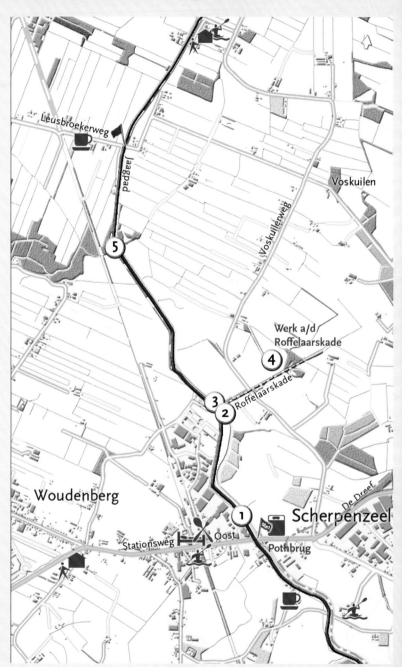

→ We beginnen of gaan verder met de route op de Pothbrug over het Valleikanaal tussen Woudenberg en Scherpenzeel. Na oversteek weg via het overstapje rechtdoor de Grebbelinie vervolgen. We lopen hier ook weer op een klompenpad, het Dashorsterpad, pad langs het water volgen. (Na korte tijd passeert u een Duitse bunker)

- Na weer een hek en overstapje rechtdoor het pad vervolgen langs het Valleikanaal. Pad steeds blijven volgen via diverse overstapjes langs het kanaal, honden zijn hier niet toegestaan, we lopen over particulier terrein.

- Na laatste overstapje, bij een stuw (destijds een damsluis) en een vistrap, asfaltfietspad rechtdoor oversteken en pad langs het water vervolgen (als u bij de stuw rechtsaf gaat en dan steeds rechtdoor komt u bij het Werk aan de Roffelaar, via de Roffelaarskade. Dit is zeker de moeite waard om hier even van de route af te wijken, en even rond te kijken in een prachtig natuurgebiedje, voorheen het Voorwerk op de Roffelaarskade).

- Na ongeveer 100 meter pad schuin links omhoog volgen. Boven aangekomen rechts aanhouden en pad over de Grebbelinie vervolgen.

- Bij een stuw met bank rechtdoor over de stuw. Na deze Bruinenburgersluis via een overstapje pad vervolgen langs het Valleikanaal, boven of onderlangs lopen, eigen keus.

- Na weer een overstapje en ijzeren hek, asfaltweg voorzichtig oversteken voor de doorgaande route (we kruisen hier de Koninklijke Weg, een wandelpad van paleis Noordeinde in Den Haag via paleis Soestdijk naar paleis het Loo te Apeldoorn). Voor een (tussen)stop treft u hier diverse gelegenheden, waaronder Theehuis Mon-Chouette. Ook een restaurant (De Mof) en een bushalte liggen op loopafstand.

← De wandeling start vanaf de Leusbroekerweg, hier pad volgen langs het water of over de dijk, naar eigen keus. Einde pad na slagboom rechtdoor de weg oversteken en pad rechtdoor volgen over de Grebbelinie, boven of onderlangs lopen.

- Brugje over Bruinenburgersluis rechtdoor (dit is bij een bank), na brugje rechtdoor pad vervolgen. Pad gaat over in asfaltpad.

- Vlak voor stuw (destijds een damsluis) en een vistrap rechtsaf pad volgen langs Valleikanaal (als we de stuw oversteken komen we bij het Voorwerk op de Roffelaarskade).

- Pad langs de afrastering langs het water volgen, na enige tijd ziet u weer een grote Duitse bunker liggen. Bij bushokje rechtdoor de drukke weg oversteken voor de doorgaande route. Hier is een bushalte (buslijn 80 naar NS station Amersfoort). Op loopafstand ligt voorts een hotel-restaurant.

Deze route is niet toegankelijk voor honden.

Leusbroekerweg-Asschatterweg

De liniedijk wordt voor een belangrijk deel geflankeerd door het Valleikanaal. Deze wandeling voert langs het deel waar de gracht van de Grebbelinie werd omgevormd tot Valleikanaal.

① Het Valleikanaal

Het Valleikanaal werd tussen 1935 en 1941 gegraven om een einde te maken aan de wateroverlast in de Gelderse Vallei. Op grote delen van de landerijen in de vallei stond voorheen iedere winter een laagje water. Bij de aanleg van het Valleikanaal werd zoveel mogelijk gebruik gemaakt van bestaande watergangen, zoals de Lunterse Beek, het Omleidingskanaal, de Broeksloot en de liniegracht. Het kanaal werd aangelegd in het kader van de werkverschaffing. Het betekende niet alleen een impuls voor de werkgelegenheid en de oplossing voor een eeuwenoud waterprobleem, maar tevens een versterking voor de Grebbelinie.

② Liniedijk

De liniedijk tussen de Slaperdijk en de Eemdijk werd in 1745 aangelegd. De dijk fungeerde als waterkering voor de inundatie en als verdedigbare wal. Daartoe werd op het waterkerende deel een borstwering opgeworpen, die de verdedigende partij bescherming bood. Op plaatsen waar wegen of dijkjes de linie kruisten, werd de linie doorgaans versterkt met opstellings-plaatsen voor geschut en banketten waar de schutters op konden staan om over de liniedijk te vuren. Achter de liniedijk konden soldaten zich onzichtbaar voor de vijand bewegen over de 'bedekte weg'. Aangezien de liniedijk halverwege de twintigste eeuw werd opgehoogd met grond uit het Valleikanaal is deze situatie alleen nog hier en daar zichtbaar op plaatsen waar liniedijk en kanaal niet direct naast elkaar liggen.

③ Pantherstellung: Langesteeg

De Langesteeg is om meer dan één reden een interessante plek om even stil te staan. Een imposante Duitse bunker domineert de omgeving bij de kanaalovergang. Het bruggetje biedt

de gelegenheid om ook even aan de andere zijde van het kanaal te kijken, waar een wederopbouwboerderij te vinden is met de gedenksteen '1947'. De boerderij werd ver-plaatst bij de aanleg van het Valleikanaal, verwoest door het Nederlands leger in 1940 en nogmaals afgebrand door het Duitse leger in 1945 om het schootsveld vrij te maken.

Bij de Langesteeg worden tegenwoordig kano's verhuurd. Kanovaren is op het gehele kanaal toegestaan, mits de kanovaarders ruim afstand houden van de stuwen.

④ Valleistelling: betonkazemat bij de Schoolsteegbosjes

Tussen de Langesteeg en de Schoolsteegbosjes ligt een kazemat in het weiland. Het is een Betonkazemat (kortweg B) voor flankerend vuur. In de Valleistelling zijn er achttien gebouwd, waarvan er nog dertien resteren. De Schoolsteegbosjes vormen sinds 1982 een beschermd

natuurmonument. Het gebied bestaat uit grasland en hakhoutbos met open water. Er komen zeldzame planten voor, terwijl de Bosuil, Wielewaal en Goudvink er broeden. De Schoolsteegbosjes zijn niet vrij toegankelijk, maar er worden jaarlijks excursies georganiseerd door Centrum voor Natuur en Milieu 'de Schoolsteeg'.

⑤ Valleikanaal als ecologische zone

Het Waterschap Vallei & Eem liet in de afgelopen jaren natuurvriendelijke beschoeiing aanbrengen waardoor de betekenis als ecologische verbindingszone jaarlijks toeneemt. Om het gebied nog aantrekkelijker te maken voor planten en dieren legt het WVE poelen, zijarmen en bosschages aan. Omdat scheepvaart op het kanaal ontbreekt, is het tevens een prachtig blauw lint voor waterrecreatie. Paden en loopvlonders maken het mogelijk om de nieuwe natuur van dichtbij te bekijken.

⑤ De Asschatterkeerkade

De Asschatterkeerkade is aangelegd in 1745, tegelijk met de liniedijk. Om te voorkomen dat aanvallers over de dijk zouden naderen, kwam er in 1799 een voorwerk waar acht kanonnen konden worden opgesteld. Op vele plaatsen zijn nog sporen te zien van de stellingen uit 1940, zoals een tankversperring, restanten van loopgraven en vele kazematten. In 1940 werd hier gevochten door soldaten van het 16e regiment Infanterie tegen de voorhoede van het Duitse leger. 's Nachts sliepen de verdedigers onder een dekentje in de loopgraaf. Sergeant Vink

schreef erover in zijn dagboek:
'Slapen in mijn loopgraaf deden we om beurten, een halve groep tegelijk. Twee man bij de mitrailleur op post, twee man keken gespannen over de borstwering met een verdedigingsgranaat in de hand en een voor zich op de borstwering. De rest van de soldaten moest patrouilleren met bajonet op door de loopgraaf.'

Leusbroekerweg-Asschatterweg (3,5 of 5,7 km)

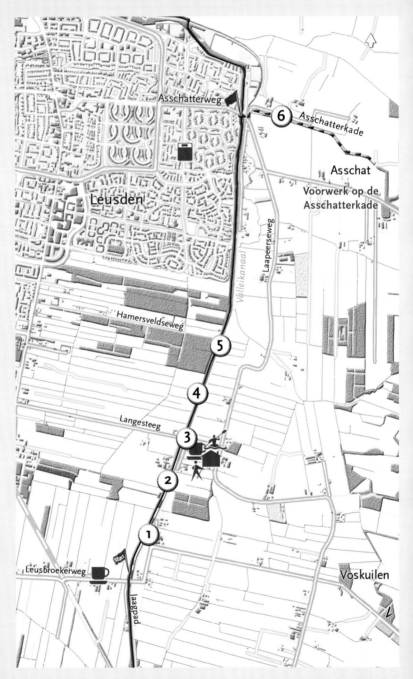

ROUTEBESCHRIJVING

→ Deze wandeling begint op de Leusbroekerweg. Hier het pad vervolgen langs het Valleikanaal en de liniedijk, bij volgende brug (Langesteeg), op asfaltweg circa 5 meter naar links en na dikke boom rechtsaf graspad volgen over de liniedijk. Onderweg ziet u een kazemat in het weiland liggen.

• Bij een stukje strand en een betonbrugje rechtdoor Grebbelinie vervolgen. Einde pad bij asfaltweg deze rechtdoor oversteken voor de doorgaande route (als u hier rechtsaf gaat en dan meteen links dan komt u bij de Asschatterkeerkade).

Een bushalte is aanwezig op de Middenlaan en iets verderop aan de Asschatterweg.

← De wandeling begint bij de Asschatterweg (mocht u de Asschatterkeerkade willen zien: hier linksaf de brug over gaan en dan weer links, en bij groen hekwerk rechtsaf, komen we op de kade)

• Hier oversteken en links aanhouden bij een aantal hekjes de Grebbelinie vervolgen.

• Bij een brugje en een klein stukje strand rechtdoor de Grebbelinie vervolgen, pad steeds rechtdoor over de G ebbelinie volgen (u passeert de Schoolsteegbosjes), langs het Valleikanaal.

• Einde pad, bij asfaltwegje (Langesteeg), even naar links en voor het brugje weer rechts het pad volgen over de Grebbelinie.

• Pad volgen langs het water over de liniedijk of langs de oever van het Valleikanaal. Einde pad na slagboom rechtdoor de Leusbroekerweg oversteken voor doorgaande route.
Voor een (tussen)stop treft u hier diverse gelegenheden, waaronder Theehuis Mon-Chouette. Ook een restaurant (De Mof) en een bushalte liggen op loopafstand.

Het deel van de route tussen de Leusbroekerweg en de Langesteeg is niet toegankelijk voor honden.

Leusden

Toen de Grebbelinie in 1807 werd geïnspecteerd door Ingenieur C.C. van Hooff was er van het huidige Leusden geen sprake. De liniedijk slingerde zich door dunbevolkt gebied naar de plaats waar de Moorsterbeek en de Modderbeek samenvloeiden. Bij Asschat stonden twintig woningen en in het dorp Leusden woonden 885 zielen, vooral in Hamersveld en Leusbroek. Langs de Hamersveldseweg lagen diverse boerderijen die werden aangewezen als inkwartieringsadres ten tijde van oorlog. Een belangrijk deel van het oude wegenpatroon is bewaard gebleven, samen met een aantal boerderijen zoals De Mossel, Klein Rossenberg (1740) en het Claeverenblad (1603). De soldaten zullen het niet erg gevonden hebben dat er diverse tappe-

rijen in de buurt waren, waaronder het Houten Huisje en De Gort. De kaartenmaker gunt de waard van de Swarte Steech, Geurt Simons, zelfs een speciale vermelding op de kaart. Belangrijkste militaire posities in de Grebbelinie rond Leusden waren de Post bij Asschat en de Voorpost op de Asschatterkeerkade, waar tijdens de meidagen van 1940 gevochten is door soldaten van het 16e Regiment Infanterie. De vele kazematten op de liniedijk rond Leusden herinneren aan deze periode. Ter hoogte van de Horster Eng is de liniedijk helaas verdwenen om plaats te maken voor een bedrijventerrein.

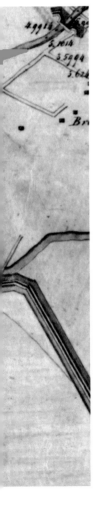

Stellingbouw te Leusden in 1939.

Bezienswaardigheden Leusden

De gemeente Leusden bestond oorspronkelijk uit de dorpen Leusbroek en Hamersveld. De huidige gemeente (bijna 30.000 inwoners) ontstond pas in 1969 door het samengaan van de gemeenten Leusden en Stoutenburg. De woonkern lag aanvankelijk in Oud-Leusden, waar een toren bij de begraafplaats nog herinnert aan het oude centrum. Bij de gemeente Leusden horen tevens Achterveld, Snorrenhoef en Musschendorp.

Dorpskerk, Leusden-Zuid

De Dorpskerk in Leusden-Zuid aan de Arnhemseweg is gebouwd in 1828. Aan de voorzijde zijn spitsboogramen zichtbaar en op het dak staat een klokkentorentje. De kerk is deels gebouwd met materiaal van de gesloopte kerk in het oorspronkelijke dorp Leusden, nu Oud-Leusden. Aan de buitenzijde is een gevelsteen zichtbaar die de hoogte aangeeft van het water tijdens de overstroming in 1855.

St. Josephschool, Achterveld (De Moespot)

Eind april 1945 vond er een belangrijke gebeurtenis plaats in de drieklassige St.-Josephschool te Achterveld. Er werd een voedselconferentie gehouden waar prins Bernhard en de Duitse Rijkscommissaris Seyss Inquart aanwezig waren. De Duitsers stelden als voorwaarde dat de geallieerden ten oosten van de Grebbelinie-Pantherstelling zouden blijven. De school is gemeentelijk monument en voor het grootste deel nog in de oude staat gebleven. Het wordt gebruikt als cultureel centrum.

Parochiekerk van de Heilige Jozef, Achterveld

De kruiskerk in Achterveld werd in 1932-1933 gebouwd in neoromaanse stijl. De kerk was diverse malen het middelpunt van gebeurtenissen in de Tweede Wereldoorlog. Toen de Duitsers tijdens de meidagen van 1940 de plaats binnentrokken opende de Nederlandse artillerie in de Grebbelinie bij Amersfoort het vuur. Daarbij werden de toren en een tweetal kapellen getroffen, die het zelfde jaar werden herbouwd. Tijdens de bezetting werden in 1943 de

drie bronzen klokken geroofd. Zeven Duitse soldaten probeerden de toren op 18 april 1945 te laten springen met dynamiet.
Een Achtervelder waarschuwde de Canadezen, die de Duitsers
arresteerden. In 1970 plaatste men een mooi beeldje voor de
Maria-kapel van een meisje met een duif in haar hand. Op de
sokkel staat: 'Bijna vrij', '28-30 april 1945', daarmee verwij-
zend naar de gesprekken tussen de geallieerden en de Duitse
bezetter aan het einde van de Tweede Wereldoorlog.

St.-Jozefkerk, Leusden (Hamersveld)

Aan een voorplein aan de Hamersveldseweg staat de St.-
Jozefkerk uit 1841 naar een ontwerp van C. Kramm. In de
periode 1895-1905 kreeg de kerk haar neogotische uiterlijk met een toren en een Mariakapel.
In het portaal van de St.-Jozefkerk bevindt zich een gedenkplaat voor de parochianen die tijdens de Tweede Wereldoorlog om het leven zijn gekomen. Tegenwoordig staat ongeveer 25
procent van de Leusdenaren bij de parochie ingeschreven.

Beeld bij het gemeentehuis van Leusden

Bij de ingang van het gemeentehuis van
Leusden staat een bijzonder monument.
Drie gedaanten glippen door een staldeur
die op een kier staat. Het verbeeldt 'Het stil-
le ambtenarenverzet'. De tekst luidt:
'Geruisloos was hun verzet. Ze hielden de
deur open voor de vervolgden.' Het beeld
werd vervaardigd in 1994 door Renee van
Leusden. De kunstenares wilde via symbo-
liek duidelijk maken dat verzetslieden gewo-
ne mensen waren. Ambtenaren uit Leusden
knoeiden bewust met het bevolkingsregister
en konden daardoor vele mensenlevens redden.

Kamp Amersfoort

Op het gebied van de gemeente Leusden ligt
het terrein van voormalig Kamp Amersfoort. Meer dan 35.000 gevangenen hebben voor kortere of langere tijd vastgezeten in het kamp. Van 1941-1943 moesten de gevangenen deel-
nemen aan dwangarbeid. Verwaarlozing, mishandeling, honger en moord waren eerder regel
dan uitzondering. Van het kamp resteren de hoofdpoort en een wachttoren.
Tal van vondsten, een maquette en fotomateriaal zijn te bekijken in het bezoekersgebouw aan
de Loes van Overeemlaan 19 te Leusden.

Asschatterweg-Flehite

Beken hebben het tracé van de Grebbelinie voor een belangrijk deel bepaald. De waterstroompjes waren van belang voor de instandhouding van de inundatie wanneer het water langzaam wegzakte in de bodem of verdampte. Dat de beken zich in de Gelderse Vallei verzamelen, heeft natuurlijk te maken met de verdiepte ligging tussen de Utrechtse Heuvelrug en het Veluwemassief. Tijdens deze wandeling komen we een aantal van deze beken tegen.

① Damsluis bij Asschat

Toen het Valleikanaal werd gegraven, voldeed de oude sluis in de Asschatterbeek (Moorsterbeek) niet meer. Deze beek liep voor de gracht langs naar de samenvloeiing met de

Modderbeek. In 1939 bouwde men een nieuwe sluis in gewapend beton. In het zelfde jaar werd hier de eerste proefinundatie gesteld, hetgeen succesvol verliep. Voor de bewoners in het inundatiegebied betekende het echter dat ze moesten evacueren.

② Informatiebollen

Leusden onthulde in 2000 een aantal informatiebollen in de Grebbelinie. De bollen hebben de vorm van een kogel en staan op enige afstand van elkaar op de liniedijk. Op elke bol wordt een bepaald aspect van de linie besproken, zoals de meidagen, de natuur en het Valleikanaal. Zo staat er een bol bij een B-kazemat.

Deze kazematten waren bedoeld voor een zware mitrailleur. Het Duitse leger had moeite om ze uit te schakelen omdat ze doorgaans goed gecamoufleerd achter de dijk lagen. Een betonnen uitsteeksel ontnam de aanvaller bovendien de zicht op het schietgat van deze 'neuskazemat'.

③ Het Krakhorster Verlaat

Oorspronkelijk lag hier een houten verlaat

voor de doorvoer van water uit de Hamersveldse Wetering naar de Modderbeek. In 1865 besloot men het te vervangen door een stenen verlaat dat beter in staat zou zijn voor een inundatie te zorgen. Op twee plaatsen zijn de dubbele schotbalksponningen zichtbaar. Met het Krakhorster Verlaat zou het tevens mogelijk worden om inundaties achter de liniedijk te stellen. In 1940 besloot de legerleiding om vanaf dit verlaat de oude Grebbelinie te laten liggen voor verdediging in de diepte, maar om daarnaast een nieuwe dijk achter het Valleikanaal aan te leggen, die versterkt werd met kazematten.

④ Het Mosselpad

Tussen Hotel Leusden en de A28 ligt nog een onverwacht aardig stukje liniedijk. Onderweg ziet u een kazemat met drie schietgaten, type S3. Hierin zaten in 1940 drie soldaten met een lichte mitrailleur. De dijk wordt geflankeerd door een oud weggetje, dat vroeger 'de Zwarte Weg' werd genoemd. Tegenwoordig heet het 'Mosselpad' naar Langhuisboerderij de Mossel die al dateert uit de zeventiende eeuw.

⑤ Heiligenbergerbeek

De beek werd genoemd naar een klooster Hohorst die rond het jaar 1000 op een rivierduin langs het water werd gebouwd. De beek wordt gevoed door de Woudenbergse Grift en de Lunterse Beek. Het dal van de Heiligenbergerbeek vormt een belangrijke ecologische zone en loopt als een groene long naar het middeleeuwse hart van Amersfoort.

De Stichting Waterlijn organiseert boottochten over de Heiligenbergerbeek. De Beekroute voert via de Korte Gracht door de beek naar kinderboerderij De Vosheuvel.

⑥ Monnikendam

Bij de Monnikendam stroomt de Heiligenbergerbeek de stad Amersfoort in. De naam refereert aan de augustustijner monniken in de nabijgelegen Sint-Andreaskapel. De poort werd omstreeks 1420 gebouwd. Het maakte deel uit van de tweede stadsmuur die van 1380-1451 werd aangelegd. De onderdoorgang kon ten tijde van oorlog waarschijnlijk worden afgesloten met een houten valschot. Halverwege de negentiende eeuw werden de stadsmuren afgebroken, maar de Monnikendam kreeg een plaats in het plantsoen. Achter en in de Monnikendam bevindt zich een restaurant met terras. De Stichting Waterlijn

organiseert boottochten door de grachten van Amersfoort. Zo is er een '2e muurroute', waarbij tweede stadsmuur wordt gevolgd.

Asschatterweg-Flehite (9,8 km)

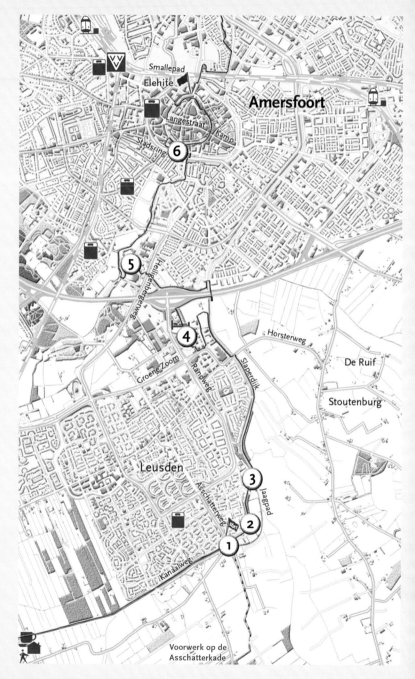

→ De route begint op de kruising Asschatterweg-liniedijk, dichtbij de damsluis bij Asschat en een informatiebol. Na oversteek rechtdoor tussen houten palen door pad over de Grebbelinie vervolgen, dijk volgen en zijpaden negeren.

• Einde pad, na een aantal hekjes, linksaf. Na circa 15 meter rechtsaf door een aantal hekjes de Grebbelinie vervolgen.

• Na een aantal hekjes rechtsaf bij Krakhorster Verlaat en rechtdoor een betonbrugje over met groene leuningen. Na brugje linksaf asfaltfietspad volgen langs Valleikanaal.

• Einde pad, Jaagpad, weg oversteken en na oversteek bij ANWB-paddestoel 24224 linksaf richting Amersfoort/Leusden.

• Vaste brug over en daarna bij slagboom rechtsaf graspad volgen langs sloot, eerste pad linksaf. Bij bordje 'kwetsbaar natuurgebied', graspad volgen.

• Einde pad, na hekje over houten knuppelbrugje rechtdoor straat volgen. Einde straat, bij verkeerslichten, rechtsaf, eerste straat rechtsaf richting trafostation.

• Na trafostation rechtsaf, Mosselpad, na houten brugje rechtsaf en bij twee houten hekjes linksaf graspad volgen over Grebbelinie.

• Einde pad, bij houten hek en paaltje met rode kop, linksaf, op de weg rechtsaf en direct weer rechtsaf, asfaltweg volgen.

• Na brug rechtsaf, asfaltfietspad volgen naar voetgangerstunnel onder de A28, na de tunnel eerste brug linksaf en direct na de brug linksaf, pad langs het water volgen.

• Bij groen hekwerk met bordje 'verboden toegang' rechts aanhouden onverhard pad langs water volgen. Einde graspad rechtdoor, asfaltweg volgen (Zwarteweg).

• Einde asfaltweg rechtdoor weg oversteken en daarna straat volgen. Na bordje J.v/d.Bergpad eerste pad rechtsaf, Heiligenbergerbeekpad.

• Asfaltfietspad volgen, bij twee banken rechtsaf houten brugje over, rechtsaf Heiligenbergerbeekpad vervolgen. Rechts aanhouden, pad vervolgen, water steeds aan de rechterkant.

• Straat rechtdoor oversteken en pad vervolgen, witte brugje rechts negeren. Einde pad schuin naar rechts de straat oversteken en de Zwaanstraat volgen.

• Eerste brugje linksaf, na brugje links aanhouden, asfaltpad langs het water volgen, pad steeds rechtdoor volgen.

• Einde pad is bij brede weg (Stadsring), hier rechtsaf en bij voetgangerslichten rechtdoor de Blekerssingel oversteken.

• Na oversteek linksaf via de voetgangerslichten de Stadsring oversteken. Na oversteek rechtsaf en na circa 25 meter linksaf brugje over en direct na brugje linksaf.

• Pad volgen langs het water, over de waterpoort (Monnikendam) en dan rechtdoor.

• Eerste straat rechtsaf, Kleine Haag, einde straat vóór water rechtsaf. Einde straat links aanhouden, Zuidsingel vervolgen.

• Singel volgen langs de Kamperbinnenpoort, gaat over in Weverssingel, steeds rechtdoor.

• Op kruising linksaf, Bloemendaalse Binnenpoort, eerste straat rechtsaf Muurhuizen. Op viersprong Nieuweweg rechtdoor oversteken en rechtdoor brug over.

• Na brug rechtdoor Breestraat. Eerste straat rechtsaf Bollebruggang, rechtdoor brug over en rechtsaf, Westsingel.

• Aan de Westsingel is op nr. 50 museum Flehite gevestigd.

Flehite-Asschatterweg (9,8 km)

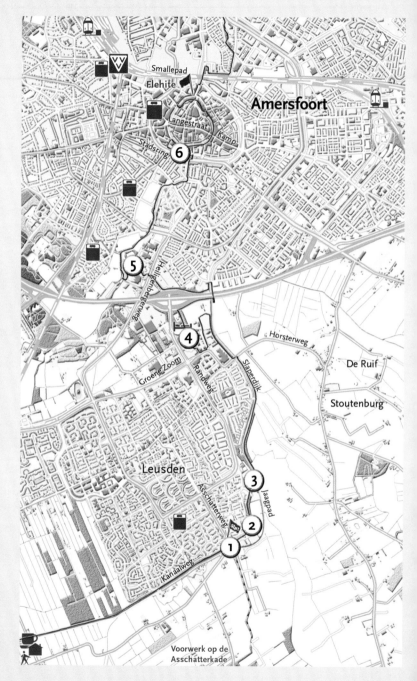

ROUTEBESCHRIJVING

← Deze wandeling start op de Westsingel, bij museum Flehite (nr. 50), eerste brug links- af, Bollebruggang, eerste straat linksaf, Breestraat.

- Op splitsing links aanhouden, einde Breestraat rechtdoor vaste brug over, Nieuweweg rechtdoor oversteken en na over- steek rechtdoor Muurhuizen.
- Op kruising linksaf, Bloemendalse Binnenpoort. Op kruising rechtsaf, Weverssingel. Singel rechtdoor volgen langs de Kamperbinnenpoort.
- Weverssingel gaat over in Zuidsingel, op driesprong rechts aanhouden, singel volgen, Zuidsingel. Tweede straat linksaf, Kleine Haag.
- Aan het eind van muur, vóór de verkeers- lichten, linksaf, Plantsoen zuid. Pad door parkrand volgen, over Waterpoort (Monnikendam). Na Waterpoort pad langs water volgen.
- Eerste brugje rechtsaf, na brugje en groene hekken rechtsaf, voetpad langs de weg vol- gen. Na circa 25 meter linksaf de Stadsring bij voetgangerslichten oversteken.
- Na oversteek rechtsaf, bij voetgangerslich- ten Blekerssingel oversteken en rechtdoor. Na circa 100 meter bij geel straatnaambord Heiligenbergerbeekpad linksaf asfaltpad volgen langs water.
- Einde asfaltpad rechtsaf brugje over en na brugje rechtsaf straat (Zwaanstraat) vol- gen. Einde Zwaanstraat schuin naar rechts de Bisschopsweg oversteken en asfaltpad, Heiligenbergerbeekpad, volgen.
- Op driesprong links aanhouden, Heiligenbergerbeekpad vervolgen, straat rechtdoor oversteken en pad vervolgen. Twee keer op driesprong links aanhouden.
- Daarna eerste brugje linksaf, na brugje direct linksaf asfaltpad volgen, Heiligenbergerbeekpad, tot einde.
- Einde pad linksaf en direct weer linksaf straat met klinkerstoep volgen. Bij verkeers- lichten rechtdoor oversteken en na oversteek rechtdoor, Zwarteweg volgen.
- Circa 50 meter vóór ijzeren hek rechts aan- houden, onverhard pad volgen langs het water. Bij groen hekwerk links aanhouden, eerste brug rechtsaf en na de brug direct weer rechtsaf en dan rechtdoor door de tun- nel onder de A28.
- Na de tunnel even rechtdoor en dan links aanhouden fietspad volgen naar boven, naar autoweg A28.
- Vóór de weg linksaf, parallelweg volgen, over vaste brug en weg rechtdoor. Circa 70

meter vóór viaduct linksaf bij bordje 'dood- lopende weg', gelijk weer linksaf, graspad, door hekje, volgen over de Grebbelinie.

- Einde pad bij twee hekjes en vóór sloot rechtsaf, dan linksaf houten brugje over en na brugje rechtdoor Mosselpad volgen.
- Einde Mosselpad linksaf straat volgen, einde straat linksaf, Plesmanstraat. Bij ver- keerslichten linksaf, Fokkerstraat.
- Einde straat vóór manege de Vier Hoeven rechtsaf en dan linksaf houten knuppel- brugje over. Door hek en rechtdoor graspad volgen door natuurgebied.
- Einde pad, na hek, rechtsaf, graspad volgen langs sloot, einde graspad linksaf vaste brug over en na brug bij ANWB-paddestoel 24224 rechtsaf de weg oversteken en dan rechtdoor asfaltfietspad volgen langs Valleikanaal, Jaagpad.
- Bij betonnen brugje rechtdoor pad vervol- gen. Bij volgende smalle betonbrugje rechtsaf brugje over en daarna rechtdoor. U passeert het Krakhorster Verlaat.
- Bij informatiebol met opschrift 'de afwate- ring', linksaf, dit is bij een aantal houten hekjes, pad volgen over Grebbelinie.
- Na volgende houten hekjes linksaf en direct bij de volgende hekjes rechtsaf, pad vervol- gen over Grebbelinie. Voor doorgaande route, asfaltweg oversteken, links aanhou- den en bij een aantal hekjes de Grebbeliniedijk volgen.
- Op de Middenlaan en iets verderop aan de Asschatterweg is een bushalte.

Amersfoort

Wie de kaart uit 1840 bekijkt, ziet dat de linie wel op heel ruime en veilige afstand van de binnenstad was aangelegd. Op het eerste gezicht lijkt de relatie met de linie niet zo groot. Tijdens de Tweede Wereldoorlog was Amersfoort echter de grootste garnizoensstad van Nederland. Tal van kazernes verrezen al in de tweede helft van de negentiende eeuw en ze bleven ongeveer honderd jaar plaats bieden aan vooral infanterie en cavalerie. Amersfoort was buitengewoon geschikt vanwege de centrale ligging en de aanwezigheid van oefenterrei-

nen. Door de ontwikkeling van het geschut in de negentiende en twintigste eeuw was de veiligheid van de stad achter de linie niet langer gegarandeerd. Op 10 mei 1940 maakten dan ook de eerste 20.000 Amersfoorters de gang naar het station om met 21 treinen te worden geëvacueerd naar de kop van Noord-Holland. Niet veel later verlieten nog eens 23.000 burgers de stad per spoor. Omdat de Duitse opmars in het noorden van de Grebbelinie niet opschoot door weerstand van de infanterie bij de IJssel en de huzaren bij onder andere Hoevelaken, bleef Amersfoort het lot van Rhenen en Scherpenzeel bespaard.

Van het garnizoensverleden is in Amersfoort nog het nodige zichtbaar. Veel hoofdgebouwen van kazernes zijn omgevormd tot burgerwoningen. Ook andere elementen herinneren aan de periode dat soldaten marcheerden door de stad, zoals de wachthuisjes van de Infanteriekazerne aan de Leusderweg. In de Bernhardkazerne is tegenwoordig het cavaleriemuseum gevestigd.

Bezienswaardigheden Amersfoort

Amersfoort is na Utrecht de grootste stad van de provincie Utrecht en heeft
meer dan 140.000 inwoners. Naar verwachting zal de stad binnen tien jaar groei-
en met nog eens 20.000 Amersfoorters. Ondanks de dynamische en moderne uitstraling is Amersfoort een stad met een hart gebleven. De historische binnenstad
is prachtig gerestaureerd en aangewezen tot beschermd stadsgezicht.
Amersfoort telt meer dan vierhonderd rijksmonumenten.

Flehite

Museum Flehite is gevestigd in drie muurhuizen, die halverwege
de zestiende eeuw zijn gebouwd. Ze hebben gediend als woonhuis,
pakhuis en militair hospitaal. Het museum heeft een prachtige
collectie schilderijen, tekeningen en archeologische vondsten.
Bovendien zijn er regelmatig wisseltentoonstellingen. In juli en
augustus beleven de bezoekers levende geschiedenis in de
Mannenzaal. Kinderen kunnen er steltlopen of hoepelen.
Meer informatie vindt u op www.museumflehite.nl.

Voormalig klooster Mariënhof

Niet ver van de Monnikendam, aan de Kleine Haag en Zuidsingel, ligt het voormalig klooster
Mariënhof. Hoewel de kapel in de noordelijk zijmuur werd afgebroken is het klooster voor het

overige goed bewaard gebleven. In 1611
werd Mariënhof ingericht tot
Burgerweeshuis, waar men de wezen leer-
den weven. Na de Tweede Wereldoorlog werd
het complex ingrijpend gerestaureerd en
achtereenvolgens gebruikt als kantoor, restaurant en evenementenlocatie.

Muurhuis Tinnenburg

Huis Tinnenburg werd in de veertiende eeuw

gebouwd ter verdediging van de plaats waar de Heiligenbergerbeek de ommuurde stad instroomde. Samen met Huis
Rommelenburg vormde Tinnenburg een waterpoort. In de zijgevel
van het huis is de doorsnede van de zestig cm dikke stadsmuur
nog altijd zichtbaar. De zeven meter hoge muren waren voorzien
van een weergang met kantelen. De Waterpoort verdween rond
1450, omdat de tweede stadsmuur om de stad was aangelegd.
Rommelenburg werd halverwege de negentiende eeuw afgebroken en Huis Tinnenburg is tegenwoordig een woonhuis.

Onze-Lieve-Vrouwentoren

De Onze-Lieve-Vrouwentoren behoort zonder twijfel tot de meest opvallende monumenten van Amersfoort. De toren, die door Amersfoorters Lange Jan wordt genoemd, is 98 meter hoog en daarmee op de twee na hoogste kerktoren van Nederland. Na de Reformatie zocht men andere bestemmingen voor de kerk; zo werden er granaten gevuld en werd er buskruit opgeslagen. Het leidde door onvoorzichtigheid van een medewerker tot een explosie waarbij de kerk verloren ging en zeventien mensen om het leven kwamen. Voor de ingang van de toren is een tweetal metalen strips aangebracht, die aangeven dat zich hier het geografisch middelpunt van Nederland bevindt.

Kamperbinnenpoort

Nadat Amersfoort in 1259 stadsrechten had gekregen van de Utrechtse bisschop liet het een eerste stenen muur bouwen. Het restant van de Kamperbinnenpoort is een voorpoort van een oudere en grotere poort die deel uitmaakte van deze ommuring. Met de aanleg van de tweede muur was deze poort eigenlijk overbodig geworden. De oude hoofdpoort werd in de zestiende eeuw afgebroken, terwijl de voorpoort uit de veertiende eeuw bleef staan als onderdeel van de muurhuizen. Voor meer informatie over de binnenstad: www.historisch-amersfoort.nl.

Flehite-Kleine Melm

Deze wandeling volgt voor een belangrijk deel de Oude Eemloop tussen Amersfoort en het Werk bij de Glashut. De Oude Eem was tamelijk smal, ondiep en verzandde op diverse plaatsen, met name bij het deel wat nu de Kleine Melm heet. Omdat grote schepen daardoor Amersfoort niet konden bereiken, moesten ze hun koopwaar overslaan in kleinere schepen. Vanaf 1555 werd aan deze situatie een einde gemaakt, toen de huidige Eem van de Koppelpoort tot de drie Sluizen werd gegraven en later verdiept en verbreed.

① Koppelpoort

Deze prachtige land- en waterpoort uit 1427 maakt deel uit van de tweede stadsmuur die tussen 1380 en 1451 werd aangelegd. Het verhaal gaat dat een aanval op de Koppelpoort in 1427 met kokend bier werd afgeslagen. De rivier de Eem verlaat Amersfoort via de waterpoort. Vóór de aanleg van het Valleikanaal werd de Eem gevormd door het samenvloeien van de Heiligenbergerbeek en de Barneveldse beek, die elkaar ontmoetten in de grachten van de stad. Er worden in de zomermaanden regelmatig gratis rondleidingen gedaan in de Koppelpoort.

② Eemhaven

De Eemhaven van Amersfoort is een haven voor bijzondere schepen. Zo liggen er een Groninger Tjalk uit 1897, een pannekoekenboot en de Fietsboot Eemlijn. Met deze boot kan een tocht gemaakt worden over de Eem en de Randmeren naar Spakenburg of Huizen. Men kan in Soest, Baarn en Eemdijk op- en afstappen op de boot van deze toeristische lijndienst. Aangezien deze tocht voert naar de Kleine Melm bij de opstapplaats Soest, zijn er combinaties denkbaar met de fietsboot. Meer informatie over tijden, routes en opstapplaatsen van de Fietsboot: www.eemlijn.nl.

③ Grebbelinie: Hooglandsedijk

De liniedijk in Amersfoort werd in de jaren zestig van de twintigste eeuw afgegraven om plaats te maken voor wegen en woningen. Toch bleef er een deel van over, en dat staat nu bekend onder de naam 'Hooglandsedijk'. De liniedijk is hier weliswaar bestraat, maar wordt geflankeerd door een fraai voetpad en een vlonderpad door een moerasgebied, dat tevens de oude loop van de Eem markeert.

④ Grebbelinie: Werk aan de Glashut

Het Werk aan de Glashut werd in 1799 aangelegd ter hoogte van de Glashutterkade. Aangezien hier 'hoog land' lag, moesten de ontwerpers van de Grebbelinie iets bedenken om aanvallers op voldoende afstand van de liniedijk te houden. Men besloot een aarden wal aan te leggen, die bij de keerkade de vorm van een hoornwerk kreeg. De ruimte achter de aarden wallen bood ruimte voor maximaal 350 soldaten, die deze zwakke plek met veertien kanonnen en houwitsers moesten verdedigen. De gracht werd onder meer gevoed met water uit de Oude Eem. Hoewel het werk in de Valleistelling werd opgenomen en voor verdediging ingericht, bleef het Werk aan de Glashut buiten schot.

Het Werk aan de Glashut is niet toegankelijk, maar wel vanaf de weg te overzien.

⑤ Kapel van Coelhorst

Hoogland werd zwaar getroffen door de Tweede Wereldoorlog. Tal van boerderijen werden afgebrand om het schootsveld vrij te maken voor het Nederlandse leger. Waar ook Huis Coelhorst in vlammen opging, bleef de Kapel van Coelhorst staan. Deze was rond 1350 als buurtkapel gebouwd. De familie Van Tuijll van Serooskerken richtte het in de negentiende eeuw in als grafkapel. Het rijksmonument werd in 2003 gerestaureerd.

⑥ Valleistelling: kazematten langs de Eem

Ter hoogte van de fietsbrug zijn kazematten op de oude liniedijk zichtbaar. Op het eerste gezicht lijken deze kazematten aan de verkeerde zijde van het water te staan, met de Eem in

de rug. De dijk was echter nodig om te voorkomen dat het water van de inundatie zou wegstromen in de Eem. Bovendien lag een deel van de liniedijk achter de Oude Eem, dus toch achter het water. Een aantal kazematten heeft schietgaten in de flank, zodat eventuele aanvallers op de dijk beschoten konden worden.

⑦ Grebbelinie: Werk bij Krachtwijk

Wandelend over het jaagpad langs de Eem is aan de overzijde van het water boerderij Hoogerhorst te zien en in de verte een verdedigingswerk van de Grebbelinie. Dit Werk bij Krachtwijk uit 1799 sloot de toegang tot de liniedijk af ter hoogte van de Vudijk, die tegenwoordig wordt aangeduid met Hoogerhorsterweg. Zoals de naam al aangeeft was hier sprake van enkele hooggelegen gronden, waar de boerderijen Hoogerhorst en Krachtwijk op waren gebouwd. Tijdens de mobilisatie versterkte men het werk met kazematten voor lichte en zware mitrailleur.

Flehite-Kleine Melm (7,7 km)

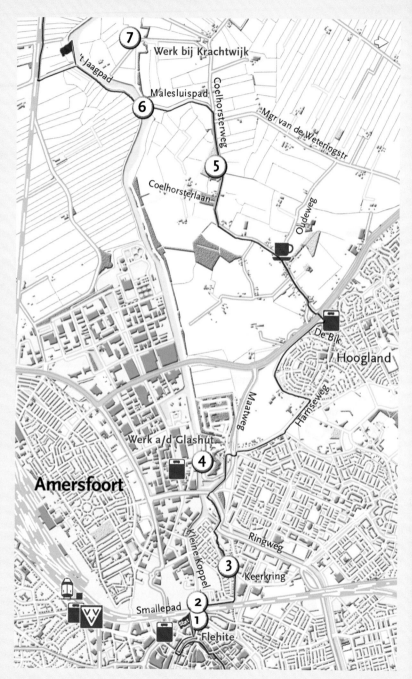

→ We starten vanaf Westsingel nr. 50, bij museum Flehite. Westsingel volgen tot Kleine Spui, hier linksaf langs het water richting Koppelpoort.

- Vóór Koppelpoort langs naar andere kant van het water en hier linksaf onder de poort door en dan links aanhouden onder viaduct door (Eemhaven).
- Daarna rechtdoor langs de Eem, eerste straatje bij motel rechtsaf, Tappersgilde, einde Tappersgilde linksaf, Chirurgijnsgilde.
- Einde Chirurgijnsgilde linksaf (Hooglandseweg), zijstraten negeren. Op viersprong linksaf Hooglandsedijk, dit is de voormalige Grebbeliniedijk, fietspad.
- Einde Hooglandsedijk de straat oversteken en na oversteek rechtsaf richting vaste brug, brug over en daarna links aanhouden, De Stuw.
- Bij de verkeerslichten rechtdoor de weg oversteken en de Maatweg volgen. Maatweg gaat over in Schans, u passeert hier het Werk aan de Glashut. Einde Schans rechtdoor de Maatweg oversteken via de voetgangerslichten.
- Na oversteek linksaf de Hamseweg oversteken en na oversteek rechtsaf richting Hoogland, Hamseweg volgen.
- Na bord Hoogland eerste straat linksaf, van Boetzelaerlaan, deze volgen, zijwegen negeren.
- Bij de verkeerslichten linksaf de weg oversteken via de voetgangersoversteekplaats. Na oversteek rechtdoor, Coelhorsterweg volgen, zijwegen negeren (aan deze weg ligt nog een rustgelegenheid en de Kapel van Coelhorst).
- Bij ANWB-richtingaanwijzer 71377 linksaf fietspad volgen richting Soest/Baarn.
- Bij een gemaal en een fietsbrug(diverse kazematten zichtbaar), rechtdoor de brug over en na brug rechtsaf het fietspad langs het kanaal volgen. Aan de overzijde van het water ligt het Werk bij Krachtwijk. Voor de doorgaande route: fietspad volgen. Deze route beschrijving stopt bij de aanlegsteiger, dichtbij de Kleine Melm aan het water.

De Kleine Melm is niet toegankelijk. Wel legt de Fietsboot Eemlijn hier aan. (www.eemlijn.nl)

← Deze route begint bij de aanlegsteiger van de Fietsboot Eemlijn, dichtbij bij de Kleine Melm Vanaf hier fietspad volgen langs de Eem (Jaagpad). Aan de overzijde van het water ligt het Werk bij Krachtwijk.

- Over de fietsbrug (aan weerszijden liggen op enige afstand diverse kazematten) en daarna rechtdoor fietspad volgen. Einde fietspad bij ANWB-richtingaanwijzer 71377 rechtsaf, richting Hoogland, weg volgen (Coelhorsterweg). Langs de Kapel van Coelhorst, zijwegen negeren (aan deze weg ligt nog een rustgelegenheid).
- Einde weg, bij verkeerslichten en oversteekplaats voor fietsers en voetgangers rechtdoor de weg oversteken. Na oversteek rechtsaf weg volgen, van Boetzelaerlaan, deze volgen door Hoogland, zijwegen negeren.
- Einde laan rechtsaf Hamseweg volgen, einde Hamseweg deze naar links oversteken en direct rechtsaf via de voetgangerslichten rechtdoor de Maatweg oversteken. Na oversteek rechtdoor en dan links aanhouden, Schans.
- Einde Schans (u passeert het Werk aan de Glashut) rechts aanhouden, fietspad langs de Maatweg volgen. Bij de verkeerslichten rechtdoor de weg oversteken en na oversteek links aanhouden, de Stuw.
- Vaste brug over en na brug rechtdoor. Na bushokje en vóór kort Korvetweg linksaf de weg oversteken. Na oversteek rechtdoor, Hooglandsedijk, zijpaden en zijstraten negeren.
- Op kruising rechtsaf, Hooglandseweg, einde straat tweede straat rechtsaf, Chirurgijnsgilde, zijstraten negeren.
- Einde straat rechtsaf Tappersgilde. Einde Tappersgilde (Eemhaven), vóór de brug linksaf en rechts aanhouden onder viaduct door, trap op en rechtdoor.
- Onder de poort van de Koppelpoort door en daarna direct rechtsaf voor de Koppelpoort langs, aan andere kant van het water linksaf (Klein Spui).
- Einde Klein Spui rechtsaf, Westsingel (hier is aan de linkerkant het museum Flehite).

In Amersfoort zijn veel eetgelegenheden en overnachtingmogelijkheden. Flehite is gelegen op loopafstand van Station Amersfoort.

Baarn

Aan het begin van de negentiende eeuw lag Baarn veilig achter de Eem en de Grebbelinie. De 313 inwoners van Baarn woonden in 154 woningen die lagen op een kwartier lopen van de rivier. Militaire inspecteurs noemden het een fraai dorp, waarbij 'onderscheidene Buitenplaatsen gevonden worden'. In 1940 moest de bevolking echter evacueren vanwege het verdragende geschut dat Baarn zou kunnen treffen. Op 10 mei, 's avonds tegen elf uur vertrok de eerste trein op het volledig verduisterde station Baarn. Ten oosten van Baarn begon het Nederlandse leger aan de laatste voorbereidingen van de Valleistelling. Zo werd het schoots-

veld vrijgemaakt en de gang gemaakt naar de stellingen langs de Eem. Vanwege de terug-
tocht van het Veldleger in de nacht van 13 op 14 mei werd de Eembrug gedeeltelijk vernield.
Een dag later trokken Duitse troepen al over de Lage Vuursche in de richting van Hilversum.
Halverwege april 1945 werd de Eem in staat van verdediging gebracht door het Duitse leger.
Op 7 mei rolden de eerste Engelse tanks binnen in het feestvierende Baarn.

Kazemat voor lichte mitrailleur ten oosten van de
Eem. De soldaten in Baarn werden op 10 mei
1940 rond 4.45 uur gealarmeerd. Om de stellingen langs de rivier te bereiken, moest men de
rivier oversteken in bootjes of van de rivierover-
gang bij Eembrugge gebruik maken. Op de ach-
tergrond is de fietsbrug zichtbaar, die in 2008
werd gerealiseerd.

Bezienswaardigheden Baarn

In de twaalfde eeuw vormden zich de eerste contouren van Baarn. De bewoners van ongeveer twintig boerderijen zagen voldoende bestaansmogelijkheden, op enige afstand van de rivier en op een plaats waar voldoende brandstof aanwezig was. De naam Baarn lijkt naar het laatste te verwijzen. Later verplaatste de kern zich naar de Brink waar de Pauluskerk werd gebouwd. Baarn kreeg omstreeks 1350 stadsrechten en is nu een plaats met ongeveer 25.000 inwoners.

De Brink

De Brink is het centrale dorpsplein op het hoogste punt van Baarn. Opvallende elementen op en rond het plein zijn het Schoutenhuis, de muziektent en een herdenkingsbank die herinnert aan het 25-jarig regeringsjubileum van koningin Wilhelmina. Voorts staat er een kunstwerk uit 1983 met de naam 'Het Bronzen Paard', dat verwijst naar de tijd dat de paarden te drinken kregen op de Brink. In 2008 werd de Brink geheel gerenoveerd.

Pauluskerk

De blikvanger op de Brink is de Pauluskerk die tegenwoordig plaats kan bieden aan zeshonderd leden van de protestantse gemeente. Toen de kerk halverwege de veertiende eeuw gebouwd werd, heette het de katholieke St.-Nicolaaskerk en behoorde het tot de Paulusabdij uit Utrecht. Aanvankelijk was het een kleine kerk, tot deze in de vijftiende en de zeventiende eeuw werd verhoogd en uitgebreid met diverse uitbouwen, waaronder een consistorie. De kerk heeft een hofkerkbank, voor leden van de koninklijke familie. De laatste die er gebruik van maakte, was prinses Juliana.

Paleis Soestdijk

Stadhouder Willem III gaf in 1674 opdracht tot het bouwen van een jachtslot, dat enkele jaren

later klaar was. Het slot werd uitgebouwd tot paleis Soestdijk, dat sindsdien bewoond werd door leden van het koninklijk huis. Tijdens de mobilisatie en na de oorlog werd het bewoond door koningin Juliana en prins Bernhard.

Er worden regelmatig rondleidingen gegeven in het paleis en het park kan ook worden bezocht. Voor entreeprijzen en tijden: www.paleissoestdijk.nl.

De Naald van Waterloo

Tegenover paleis Soestdijk staat de Naald van Waterloo, een monument ter ere van de prins van Oranje. Prins Willem Frederik gaf in 1815 leiding aan de troepen die tijdens de Slag bij Waterloo in België een grote aanval van de Fransen afsloeg bij Quatre-Bras. De weerstand gaf de geallieerden met opperbevelhebber Wellington de tijd om gezamenlijk Napoleon te verslaan.

Kasteel Groeneveld

Buitenverblijf Groeneveld werd in 1710 gebouwd in opdracht van de Franse hugenoot Mamuchet. Het landgoed werd naast het verblijf gevormd door een koetshuis, boerderij en orangerie in een park in Hollandse barokstijl, waar de lange zichtlanen nog van resteren. Later werd het park omgevormd naar Engelse landschapstijl met doorkijkjes en boomgroepen.

Grootoorvleermuizen profiteren van de voormalige ijskelder van kasteel Groeneveld, terwijl het publiek welkom is in het park en tijdens openingstijden in het kasteel, waar tijdens de mobilisatie soldaten waren ingekwartierd.

In het kasteel is een xylotheek te zien: een houtverzameling in de vorm van boeken. Er zijn regelmatig evenementen en tentoonstellingen. Zie www.kasteelgroeneveld.nl.

Kleine Melm-Eemdijk

Deze route voert langs de rivier de Eem. De enige grote rivier die in Nederland ontspringt én uitmondt. Een belangrijk deel van de wandeling loopt u langs het water, met halverwege een uitstapje door Baarn hetgeen tevens enige rustgelegenheden oplevert. Eem of Amer betekent niet veel meer of minder dan water. De rivier met de voorde of doorwaadbare plek waar Amersfoort zijn naam aan ontleent.

① De Kleine Melm

De Kleine Melm is één van de oudste huizen langs de Eem. Het veerhuis annex herberg werd gebouwd in 1681 aan een losplaats voor schepen met de naam 'Nieuwe Melm'. De schepen kozen voor deze nieuwe los-plaats omdat ze moeite hadden om aan te meren bij de 'Oude Melm'. De herberg bood onderdak aan reizigers en er werd bier geschonken. Naast het werk als herbergier, was de waard tevens veerman, die mensen uit Soest in een pontje naar de overzijde vervoerde. De Soestenaren duiden de voormalige herberg aan met 'Zwarte Willem', de laatste kroegbaas en veerman. Een klein steigertje herinnert nog aan de periode dat men met het pontje de Eem overstak. De tijd dat de Kleine Melm een her-berg was, is voorbij. Het huis is niet toegankelijk. Dichtbij legt de Fietsboot Eemlijn aan: www.eemlijn.nl.

② De Grote Melm

De Grote Melm was een zandheuvel, die was gevormd in een bocht van de Eem. Het was lange tijd een geschikte laad- en losplaats aan de Eem, waar in 1476 toestemming voor was gegeven door de bisschop van Utrecht. De bocht werd na de Tweede Wereldoorlog afgesneden. De oude arm bleef liggen, maar de huidige Eem stroomt hier een stukje rechter. Hetzelfde gebeurde bij de Zeldertse Wetering en Eembrugge.

③ Eembrugge

Aan het begin van de achttiende eeuw woonden in Eembrugge of Ter Eem 140 mensen, een aantal dat sindsdien nauwe-lijks is gegroeid. Een inspecteur van de Grebbelinie beschrijft in zijn rapport uit 1807 een ophaalbrug, 25 boerenwoningen en een kalkoven. Voorts telt hij 309 'runder-beesten'. Het kleine plaatsje kreeg echter in 1300 stadsrechten. In vroeger tijden had het plaatsje betekenis als kerkdorp, dat werd ver-sterkt met Kasteel ter Eem. De naam verwijst naar de brug over de Eem.

④ Schans ter Eem

Het weiland ten noorden van Eembrugge, is archeologisch interessant, omdat hier restanten zijn aangetroffen van het Huis ter Eem. Omstreeks 1252 werd hier een versterkt huis gebouwd. In het grasland kunnen de sporen van de gracht, de kasteelplaats en de bastions worden teruggevonden. Veel is er echter niet meer van over, omdat de laatste tastbare restanten tijdens de storm van 1916-1917 zijn weggespoeld. De schans werd al afgegraven in 1742, vlak voor de aanleg van de Grebbelinie. Zie de kaart van blz. 88, linksboven.

⑤ Wielen langs de Eemdijk

Met enige regelmaat zien we meertjes aan de oostzijde van de dijk. Het betreft zogenaamde 'wielen', die ontstaan zijn tijdens dijkdoorbraken. Door de grote kracht van het water werd er een diep gat geslagen ter hoogte van de bres in de dijk. Na het herstellen van de bres, bleef het wiel liggen. Wanneer ze liggen aan de landzijde heten ze 'binnengedijkt wiel' en aan de rivierzijde 'buitengedijkt wiel'.

⑥ Eemdijk

Eemdijk, voorheen Dijkhuizen, is in de vijftiende eeuw ontstaan na het aanleggen van de Veen- en Veldendijk. De dijk beschermde de achterliggende polders tegen het gevaar van overstromingen door de Zuiderzee. Het dorpje telt ongeveer achthonderd inwoners. De plaats kent inmiddels een kern, maar de oorspronkelijke lintbebouwing is nog altijd zichtbaar. Het pontje Eemdijk-Eemnes is in bedrijf in het voorjaar en de zomer, behalve op zondagen. In Eemdijk is tevens een aanlegsteiger van de Fietsboot Eemlijn.

Kleine Melm-Baarn (6,0 km)

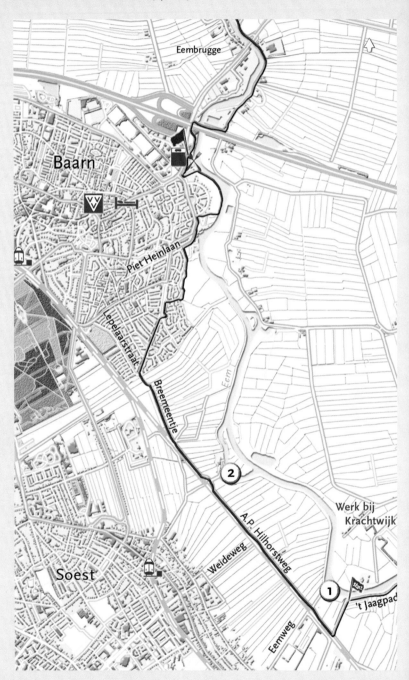

→ Deze wandeling begint bij de steiger waar de Fietsboot Eemlijn (lijndienst) aanlegt, dichtbij de Kleine Melm. Einde fietspad, bij ANWB-richtingaanwijzer 71376, rechtsaf richting Soest/Baarn.

• Asfaltweg rechtdoor volgen, zijwegen negeren, A.P.Hilhorstweg, op viersprong bij Grote Melm ook rechtdoor, weg vervolgen, gaat over in Breemeentje.

• Na houten brugje schuin rechts aanhouden en straat volgen, zijstraten negeren. Straat steeds rechtdoor volgen, straat gaat over in schelpenfietspad, straat rechtdoor volgen.

• Bij bordje Crocusstraat rechts aanhouden naar asfaltweg, Bestevaerweg, deze rechtdoor oversteken en na oversteek linksaf klinkerstraat.

• Einde straat (is ook eerste straat) rechtsaf, 't Jaagpad. Einde klinkerstraat rechtdoor, sintelpad, op driesprong linksaf, sintelpad vervolgen, zijpaden negeren.

• Eerste pad rechtsaf, bij twee banken, dan eerste pad linksaf, na twee banken.

• Einde pad linksaf asfaltwegje, einde wegje rechtsaf August Janssenweg, op splitsing links aanhouden, tegelpad volgen. Gaat over in sintelpad, langs vijver.

• Einde sintelpad rechtsaf en bij bordje 'Zuiderlicht' schuin rechtdoor sintelpad volgen, sintelpad volgen met bocht naar links.

• Einde sintelpad rechtsaf, tegelpad, na bord Baarn links aanhouden, asfaltweg, bij bordje doorgaand verkeer.

• Bij weer een splitsing rechts aanhouden richting woonschepen voor de doorgaande route.

Rechts ligt Taveerne Eemlust. Voor wie de wandeling hier wil beëindigen, ligt er links een bushalte aan de Bisschopsweg.

← We beginnen deze wandeling in Baarn aan de Eem, ter hoogte van restaurant Eemlust. Hier rechtdoor de weg (Eemweg) vervolgen, bij bord Baarn rechts aanhouden, tegelfietspad volgen.

• Dan linksaf steenslag fietspad volgen (bij bordje Eemlijn). Einde steenslagfietspad even rechts en daarna gelijk links. Bij groene afvalbak linksaf, dit is bij lantaarnpaal met nr.152352.

• Bij brugje rechtdoor tegelpad volgen, gaat over in asfaltweg, deze ook rechtdoor volgen Eerste wegje linksaf, bij straatnaambord August Janssenweg, en daarna rechts aanhouden, fietspad.

• Op driesprong bij twee banken rechtsaf, einde pad linksaf, pad langs het water volgen.

• Bij een trainingsveldje met twee goals en een afvalbak rechtsaf, pad verlaten en rechtdoor straat volgen.

• Einde straat bij TNT-brievenbus linksaf, de Aak. Eerste zebrapad rechtsaf de weg oversteken, na oversteek rechtdoor, Dotterbloemlaan volgen, zijstraten negeren.

• Einde straat rechtdoor schelpenfietspad volgen, einde fietspad rechtdoor Zuringstraat volgen. Bijna op het eind van de straat schuin links aanhouden richting brugje.

• Pad volgen over brugje, Breemeentje, weg steeds rechtdoor volgen, zijwegen negeren. Breemeentje gaat over in A.P. Hilhorstweg, zijwegen negeren, u passeert de Grote Melmweg.

• A.P. Hilhorstweg volgen tot ANWB-richtingaanwijzer 71376, hier linksaf, Verlengde Hooiweg. Fietspad volgen tot de Eem, bij De Kleine Melm en de steiger waar de Fietsboot Eemlijn aanlegt.

De Kleine Melm is niet toegankelijk. Wel legt hier de Fietsboot aan. (www.eemlijn.nl)

De Grote Melm.

Baarn-Eemdijk (5,8 km)

→ We starten de wandeling in Baarn aan de Eem, ter hoogte van Taveerne Eemlust. We houden rechts aan richting woonschepen, asfaltweg volgen, onder viaducten door, na tweede viaduct rechtsaf tegeltrap op.

• Einde trap linksaf de brug over, asfaltwegje volgen naar beneden. Einde wegje linksaf Zuidereind, wegje rechtdoor volgen langs de Eem, zijwegen negeren.

• Waar de weg naar rechts draait rechtdoor tussen kunststof palen door, rechtdoor de weg oversteken bij de brug van Eembrugge en na oversteek klein stukje door het gras en daarna de asfaltweg (Eemdijk) langs de Eem volgen. Rechts in het weiland, ten noorden van de brug, lag de Schans ter Eem.

• Bocht naar rechts, rechtdoor pad over de dijk volgen, bij bord Waterschap Vallei & Eem, daarna rechtdoor graspad volgen.

• We lopen nu gelijk op met het LAW-route 'Zuiderzeepad', grasdijk volgen via diverse overstapjes, grasdijk volgen langs de Eem. U passeert onderweg diverse wielen.

• Waar de dijk naar rechts draait via een overstapje en pad over de dijk blijven volgen langs de Eem. Pad steeds volgen via de overstapjes.

• Bij een groene schuur aan de rechterkant van het pad, rechtsaf richting de huizen. Na overstapje schuin linksaf de dijk op, op de weg aangekomen links aanhouden en weg volgen door Eemdijk.

• In Eemdijk is een rustgelegenheid (eetcafé De Winkel) en een bushalte.

← Deze routebeschrijving begint in Eemdijk. Doorgaande weg volgen, zijwegen negeren, in het dorp is een rustgelegenheid en een bushalte.

• Na het laatste huis (nr.128) aan de rechterkant van het dorp Eemdijk, rechtsaf via een overstapje de dijk op en de dijk volgen in de looprichting richting groene schuur.

• Vlak voor groene schuur rechtsaf via overstapje en voor het water linksaf via overstapje de dijk volgen. U passeert diverse wielen (deels dichtgegroeid en drooggevallen).

• Graspad langs de Eem steeds blijven volgen, via diverse overstapjes.

• Bij bord met nr. 6 schuin de dijk op en dan graspad over de dijk volgen.

• Waar de verhoogde dijk van de Eem wegdraait naar links, volgen wij het pad langs de Eem via een overstapje.

• Bij een slagboom en het bord 'Waterschap Vallei & Eem' het graspad verlaten en op de asfaltweg rechts aanhouden, deze volgen. In de bocht dichtbij de brug lag voorheen de Schans ter Eem (nu weiland).

• Asfaltweg volgen richting brug van Eembrugge, bij de brug rechtdoor de weg oversteken en daarna rechtdoor, stukje graspad.

• Daarna rechtdoor asfaltweg (Zuidereind) volgen langs de Eem, zijwegen negeren, vlak vóór het viaduct rechtsaf richting Baarn, asfaltweg.

• Weg volgen over de brug, na brug rechtsaf trap af via tegelpad, einde tegelpad linksaf onder twee viaducten door en weg vervolgen langs woonschepen naar het eindpunt. Links ligt Taveerne Eemlust en rechts is een bushalte aan de Bisschopsweg.

In verband met werkzaamheden van het Waterschap aan de dijk is het mogelijk dat u via bordjes wordt omgeleid. Zie ook www.grebbelinie.nl en www.wve.nl In Eemdijk is een bushalte en rustgelegenheid. Van het pontje in Eemdijk hoeft u voor het themapad Grebbelinie geen gebruik te maken.

Het weiland waar nog enige sporen resteren van de gracht en de bastions van de Schans ter Eem.

Eemdijk-Spakenburg

Een wandeling door de voormalige Bunschoterkom van de Grebbelinie, waarbij de schilderachtige plaatsen Eemdijk en Spakenburg worden aangedaan. De Bunschoterkom was één van
de grootste inundatiegebieden van de Grebbelinie. In geval van nood kon water uit de voormalige Zuiderzee worden ingelaten. Vooral bij springvloed (ruim twee dagen na volle maan en
nieuwe maan) kon snel een grote watervlakte worden gecreëerd die reikte tot aan Nijkerk. Van
dit militaire middel is door omstandigheden in de achttiende eeuw nooit gebruik gemaakt. In
de Tweede Wereldoorlog is de kom wel tweemaal geïnundeerd.

① Hooiberg Eemdijk

Hoewel Eemdijk maar een klein dorp is, telt het een aantal
interessante panden. Zo staan er diverse fraaie langhuis-
boerderijen, waarbij woonhuis en achterhuis onder één
dak in elkaars verlengde liggen. Voorts een gemaal tegen
de dijk langs de rivier en een dwarshuisboerderij. Bij dit
type staat woonhuisgedeelte dwars op het achterhuis. In
Eemdijk zien we tevens een hooiberg met Bunschoterkap.
Er zijn nog enkele tientallen hooibergen van dit type in
Eembrugge, Eemdijk en Bunschoten-Spakenburg. Ze worden wel koekoekberg genoemd vanwege de dakkapel,
bedoeld voor een balk met katrol om hooi te grijpen.

② Nationaal Landschap Arkemheen

Arkemheen is één van de twintig Nederlandse
nationale landschappen. Het is een zeer open
landschap dat eeuwen te kampen heeft
gehad met overstromingen. Er is nauwelijks
bebouwing of hoge begroeiing in het veenont-
ginningsgebied. Er komen veel bijzondere
planten voor, zoals zwanebloem, valeriaan en pijlkruid. De bijzondere flora heeft deels te maken
met het aanwezige zout in de grond, dat nog herinnert aan de nukken van de Zuiderzee.

③ Eemland

Het deel van Arkemheen dat in de provincie
Utrecht ligt heet Eemland. U treft hier tal
van vogels aan, hetgeen te maken heeft
met de hoge grondwaterstand. Veel voge-
laars halen hun hart op in dit domein van
tureluur, grutto, veldleeuwerik en kwartel.
Naast de bekende knobbelzwaan komt hier
ook de minder algemene kleine zwaan veel

voor. Er zijn beschermde zones, zodat zeldzame soorten ongestoord kunnen overwinteren. Met een verrekijker is er voor de vogelliefhebber vanaf de dijk veel te zien.

④ Palendijk

De palendijk bij Bunschoten is uniek. Vroeger lagen overal langs de hele Zuiderzee palendijken. Nu vind je hier alleen deze nog. Hij is nagebouwd om te laten zien hoe het vroeger was. Toen het idee voor de bouw van een palendijk ontstond, heeft het waterschap zo veel mogelijk informatie verzameld. Twee oude tekeningen vormden de basis voor het ontwerp. Geprobeerd is om de palendijk bij Bunschoten zo authentiek mogelijk na te maken. Het materiaal en de bouwwijze komen zoveel mogelijk overeen met hoe het vroeger was.

⑤ Dijkverzwaring langs de Eem en Randmeren

Een goede kwaliteit van de dijken in Nederland is van groot belang. Dijken beschermen ons tegen hoog water. Nederland is kwetsbaarder geworden voor overstromingen. Om problemen met wateroverlast te voorkomen, hecht de Nederlandse overheid er sterk aan dat de Nederlandse waterkeringen goed onderhouden zijn en aan de vastgestelde normen voldoen. Waterschap Vallei & Eem werkt aan de veiligheid van de dijken langs de randmeren bij Spakenburg en Nijkerk en langs de oostkant van de Eem. Deze dijken moeten in 2012 voldoen aan de vastgestelde normen. In totaal gaat het om 24 kilometer primaire dijken.

⑥ De Oude Haven van Spakenburg

De Oude Haven van Spakenburg behoort tot de meest fotogenieke en populaire delen van Spakenburg. De scheepswerf met rode loods en hellingen vormen een bijzonder ensemble dat in deze vorm nergens anders voorkomt in de provincie Utrecht. Er liggen nog dertig botters in de haven, die tegenwoordig voor de pleziervaart worden gebruikt. Hoewel de beroepsvisserij in Spakenburg is gestopt, speelt de vishandel nog altijd een vooraanstaande rol in deze plaats aan het Eemmeer.

Eemdijk-Spakenburg (4,9 km)

ROUTEBESCHRIJVING

→ Deze wandeling begint in Eemdijk. De doorgaande weg door Eemdijk rechtdoor volgen, zijstraten negeren (in het dorp is een bushalte en een rustgelegenheid, zaterdag en zondag gesloten). Na einde bebouwde kom weg vervolgen, zijwegen negeren. Het gebied waar we doorheen wandelen, maakt deel uit van Nationaal Landschap Arkemheen, het Utrechtse deel wordt met Eemland aangeduid.

• Weg waarop we lopen heet Eemdijk, deze dijk steeds blijven volgen, na huisnummer 2 en bij bord rijwielpad links aanhouden de dijk omhoog. Bij bord 'Waterschap Vallei & Eem', schelpenpad.

• Dit schelpenpad over de dijk volgen, bij einde pad, bij bank (en Palendijk), rechtdoor de asfaltweg over de dijk vervolgen. Binnen afzienbare tijd laat het Waterschap Vallei & Eem de dijken verzwaren.

• Na bord Bunschoten-Spakenburg weg rechtdoor volgen langs sportvelden. Bij bord P-centrum weg rechtdoor volgen, Westdijk.

• Op kruispunt rechtdoor, aan de rechterkant is bij het museum Spakenburg in de Oude Haven van Spakenburg het eindpunt van het Grebbeliniepad.
Bushalte aan de Broerswetering is op loopafstand, tevens diverse rustgelegenheden.

← De start van het Grebbeliniepad is bij het museum Spakenburg aan de Spuistraat in Bunschoten (De Oude Haven), vanuit het museum linksaf.

• Spuistraat rechtdoor volgen, zijstraten negeren, gaat over in Westdijk, deze ook rechtdoor volgen langs sportvelden. De dijk zal met veel andere dijken langs de Eem en Randmeren verzwaard worden door het Waterschap.

• Na bord Bunschoten-Spakenburg, einde bebouwde kom, Westdijk steeds rechtdoor blijven volgen, zijwegen negeren.

• Waar de weg een bocht naar links maakt, rechtdoor het fietspad over de dijk volgen, asfaltfietspad. U passeert de Palendijk.

• Fietspad volgen met bocht naar links, gaat over in schelpenpad. Einde schelpenpad op klinkerweg rechts aanhouden, klinkerweg volgen, Westdijk gaat over in Eemdijk. Het gebied waar we doorheen wandelen, maakt deel uit van Nationaal Landschap Arkemheen, het Utrechtse deel wordt aangeduid met Eemland.

• Klinkerweg volgen door het dorp Eemdijk, zijwegen negeren, en voor de doorgaande route rechtdoor volgen.
In Eemdijk is een rustgelegenheid (Eetcafé De Winkel) en een bushalte.

Wanneer de dijkverzwaringsmaatregelen invloed hebben op de route, worden bordjes geplaatst. Zie www.grebbelinie.nl voor aanvullende route-informatie en www.wve.nl voor informatie over de aard van de werkzaamheden.

VVV en Museum Spakenburg. Start- en eindpunt van het Grebbeliniepad.

Spakenburg

Spakenburg bezette in de achttiende eeuw een sleutelpositie in het noordelijke deel van de Grebbelinie. Om te voorkomen dat het water uit de inundatiekom wegliep, moest de spuisluis uit 1749 gesloten kunnen worden. Bij hoog water in de Zuiderzee zou hier tevens water ingelaten kunnen worden voor de inundatie. Er was dus veel aan gelegen om de vijand de toegang tot de sluis te ontzeggen. Tal van verdedigingswerken verrezen rond de oude haven van het dorp. Ter hoogte van de huidige voetbalvelden werd een batterij met emplacementen voor geschut aangelegd ten westen van de haven. Een met grachten omgeven redoute lag ten noorden van de haven. Deze is nog herkenbaar in het stratenpatroon van De Nieuwe Schans.

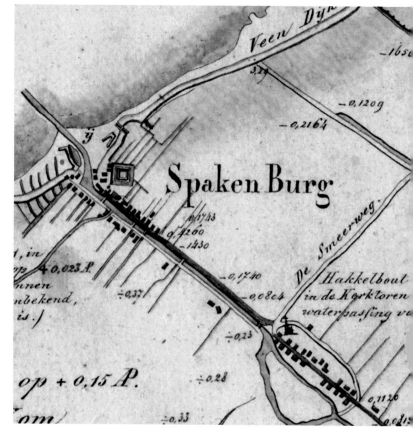

Een tweede redoute, die buitendijks lag, spoelde naar verloop van tijd weg. Aan het einde van de achttiende eeuw werd de dijk nog verder versterkt met een tweetal batterijen voor en in de bocht. Van de 'Batterij voor de bocht' resteren nog een tweetal grenspalen van het ministerie van Oorlog. Met deze grenspalen werden de militaire rijksgronden aangegeven.

Bezienswaardigheden Spakenburg

Het dorp Spakenburg wordt tegenwoordig in één adem genoemd met Bunschoten. Samen met de buurtschappen Eemdijk en Zevenhuizen vormt het de gemeente Bunschoten met ongeveer 20.000 inwoners. De historie van de kernen is echter zeer verschillend. Waar het boerendorp Bunschoten halverwege de veertiende eeuw stadsrechten verwierf, werd het dorpskarakter van Spakenburg vooral bepaald door visserswoningen en visverwerkingsbedrijven.

Museumhaven

In de vijftiende eeuw werd de gracht van Spakenburg afgesloten door een houten schutsluis, die in de loop der eeuwen regelmatig vervangen moest worden als ze beschadigd raakte tijdens stormen. In 1749 werd de eerste stenen sluis gebouwd in het kader van de Grebbelinie. De sluis speelde een belangrijke rol bij het stellen van inundaties in de Bunschoterkom. De sluis werd afgebroken in 1949, toen de gracht haar functie als afwateringskanaal verloren

had. Er werd tevens een deel van de oude haven gedempt. De gemeente Bunschoten heeft echter besloten om de haven haar historische gezicht terug te geven middels het ambitieuze plan 'Hongedehemel'.
Wie meer wil weten van de geschiedenis van Spakenburg en de relatie met de Grebbelinie kan terecht in Museum Spakenburg aan de Oude Schans 47-63.

De Nieuwe Haven

In de negentiende eeuw groeide de vissersvloot van Spakenburg zo sterk, dat men in 1886 de Nieuwe Haven liet aanleggen. De afsluiting van de Zuiderzee in 1932 had voor Spakenburg grote gevolgen. Het aantal beroepsvissers daalde snel. Daardoor was er ook minder werk in de werf, de touwslagerijen en de nettenmakerijen. Een beperkt aantal vissers ging over op de zoetwatervisserij waarbij vooral op baars, snoek en paling werd gevist. De afsluiting betekende ook het einde van de grillen van de Zuiderzee. Bij de Nieuwe Haven staat een beeld van koningin Wilhelmina dat herinnert aan de watersnood van januari 1916, toen een zware noordwesterstorm Bunschoten, Spakenburg en Eemdijk teisterde. De koningin bezocht het getroffen gebied een paar dagen later om haar steun te betuigen.

Klederdracht

Tot aan de Tweede Wereldoorlog droegen vrijwel alle mensen in Spakenburg klederdracht. Rond 1960 ging men over naar burgerkleding, die veel gemakkelijker zat. Een paar honderd

vrouwen zetten de traditie in de bloemrijke kleding voort en dragen daarmee bij aan de bijzondere uitstraling van de plaats. Tijdens de Spakenburgse dagen kleden ook veel mannen en kinderen zich in klederdracht.

Het Klederdracht en Visserijmuseum is te vinden aan de Kerkstraat 20 te Spakenburg.

Valleistelling: tankversperring op de Oostdijk

Aangezien er uitgestrekte inundaties waren ten oosten van Bunschoten, was de Oostdijk de enige toegangsweg naar het westen. Om deze te beveiligen tegen tanks en pantserwagens werden er in 1939-1940 zeven betonnen blokken met spoorstaven geplaatst. Vijf van deze versperringen zijn nog aanwezig. Dergelijke versperringen hebben tevens bij Amersfoort en Leusden gelegen, maar dit zijn de enige exemplaren van dit type die nog resteren in de voormalige Valleistelling.

Bunschoten: voormalige St.-Catharinakerk

Bunschoten heeft een geschiedenis die teruggaat tot de Middeleeuwen. Aanvankelijk ontwikkelde het zich langzaam tot boerendorp, tot het halverwege de veertiende eeuw stadsrechten

kreeg. Er werden grachten gegraven, wallen opgeworpen en poorten gebouwd. In 1428 werd Bunschoten echter grotendeels verwoest waarbij ook de St.-Catharinakerk verloren ging. Aan het einde van de vijftiende eeuw bouwde men voor de tweede keer een kerk die werd opgedragen aan Catharina, een heilige die in tijden van nood werd aangeroepen. Van deze kruiskerk werden na de Reformatie het koor en het dwarsschip gesloopt. In 1806 werd een kleine hakkelbout in de muur van de kerk geslagen door Kapitein C.C. van Hooff. Het was een ijkpunt voor de waterpasmetingen in het kader van de Grebbelinie. De hakkelbout is nog altijd aanwezig in de buitenmuur van het gebouw. Tegenwoordig wordt dit oudste gebouw van Bunschoten gebruikt door de Nederlands-Hervormde Kerk.

Kanoverhuur

Een deel van de routes (langs het Valleikanaal) kan desgewenst ook per kano worden afgelegd. Het Waterschap Vallei & Eem heeft steigers en overstapplaatsen gemaakt en op diverse adressen worden kano's verhuurd. Vraag hier naar de vaarregels.

Naam	adres	Telefoon
Kanocentrum van Boerderij Berg,	Langesteeg 2a, 3831 RZ Leusden	033-4945352
De Boerenstee,	De Steeg 6, 3931 PM Woudenberg	033-2770992
Madventure	Landaasweg 3, 3931 GA Woudenberg	033-2867703
Ineke Schimmel	Brinkkanterweg 20, 3925 BA Scherpenzeel	033-2773655
Sporttotaal	De Schutterij 17, 3905 PJ Veenendaal	0318-510617

Openbaar vervoer

Veel wandelingen beginnen of eindigen in de buurt van een station of bushalte. Kijkt u voor informatie rond dienstregeling/vertrektijden van de trein op www.ns.nl. De busdienstregeling is te vinden op www.connexxion.nl.
U kunt tevens veel informatie over het openbaar vervoer vinden op www.9292ov.nl.

Overnachtingadressen

Kaart	Soort	Naam, adres	Telefoon
1	Hotel	*Hotel Rhenen,* Herenstraat 75, 3911 JC Rhenen	0317-311112
1	Hotel	*Hotel 't Paviljoen,* Grebbeweg 103-105, 3911 AV Rhenen	0317-619003
2	Camping	*Camping De Thijmse Berg,* Nieuwe Veenendaalseweg 229, 3911 MJ Rhenen	0317-612384
2	Camping	*Camping Het Binnenland,* Zwartesteeg 1, 6721 NA Bennekom	0318-415048
2	B&B	*Het eerste Erf,* Rijnsteeg 14, 6721 NP Bennekom	0318-431627
3	Hotel	*Ibis Hotel Veenendaal,* Vendelier 8, 3905 PA Veenendaal	0318-522222
3	Hotel	*Stadshotel,* Fluiterstraat 80b, 3901 DL Veenendaal	06-41966175
4/5	Camping/B&B	*Camping de Grebbelinie,* Ubbeschoterweg 12, 3927 CJ Renswoude	0318-591073
4/5	B&B	*Nieuw Abbelaar,* Barneveldsestraat 24a, 3927 CC Renswoude	0318-571756
4/5	B&B	*Nieuwe Wolfshaar,* Arnhemseweg 6, 3927 EE Renswoude	0318-574460
5	Minicamping/B&B	*De Kleine weide,* Biesbosserweg 19, 3927 CV Renswoude	033-2771400
5	B&B	*De Groeperkade,* Groeperweg 9, 3927 CR Renswoude	0343-481310
5	Minicamping/B&B	*De Reiger, Spoorlaan 7,* 3959 BG Overberg,	0343-481459
5/6	B&B	*De Boerenstee,* De Steeg 6, 3931 PM Woudenberg	033-2770992
6	Hotel	*De Witte Holevoet,* Holevoetplein 282, 3925 CA Scherpenzeel	033-2779111
6/7	Hotel	*Partycentrum Schimmel,* Stationsweg Oost 243, 3931 EP Woudenberg	033-2861213
7	B&B	*Annahoeve Woudenberg,* Rumelaarseweg 7, 3931 PA Woudenberg	033-2861407
8	B&B	*Larik's Hoeve,* Langesteeg 2b, 3831 RZ Leusden	033-4321282
9	Hotel	*Hotel Leusden,* Philipsstraat 18, 3833 LC, Leusden	033-4345345
9/10	Hotel/B&B	In het centrum van Amersfoort zijn vele overnachtingsmogelijkheden	-
11	Hotel	*Hotel Onder de Linden,* Hoofdstraat 21, 3741 AC Baarn	035-5412961
12	Camping	*Boerencamping Buitenlust,* Eemdijk 157, 3754 NG Eemdijk	06-50251420
13	Hotelschip	*Hotelschip Linquenda,* Havenstraat 29, 3751 AK Bunschoten Spakenburg	06-55574375
13	Hotel	*Hotel Het Oude Gemeentehuis,* Dorpsstraat 90, 3751 ES Bunschoten	033-2987100

Restaurants en cafés

Waar mogelijk zijn rustgelegenheden opgenomen in de routes. In plaatsen als Amersfoort, Veenendaal en Bunschoten-Spakenburg is een groot aanbod aan cafés en restaurants. Ook in andere woonkernen zal u weinig moeite kosten om een geschikt etablissement naar uw wens te vinden. In minder bebouwde gebieden staan de gelegenheden met een symbool aangegeven op de routekaarten. Voor openingstijden adviseren we u vooraf kennis te nemen van de actuele gegevens via internet.

VVV-winkels

Plaats	adres	Telefoon
Amersfoort	Stationsplein 9-11, 3818 LE Amersfoort	0900-1122364
Baarn	Brinkstraat 12, 3741 AN Baarn	035-5413226
Bunschoten-Spakenburg	Oude Schans 90, 3752 AH Bunschoten-Spakenburg	033-2982156
Renswoude	*Openbare Bibliotheek*, Van Reedeweg 77, 3927 BT Renswoude	0900-VELUWE
Rhenen	Markt 20, 3911 LJ Rhenen	0317-612333
Scherpenzeel	Dorpsstraat 245, 3925 KC Scherpenzeel	033-2771530
Veenendaal	Kerkewijk 10, 3901 EG Veenendaal	0318-529800
Woudenberg	Dorpsstraat 1, 3931 ED Woudenberg	0318-510617

Zie ook de website van Regio VVV Veluwe & Vallei: www.vvvveluwevallei.nl.

Literatuur

Boer, R.J. de *Ouwehands. Een dierenpark in oorlogstijd* (Amsterdam, 2004)

Brongers, E.H. *Grebbelinie 1940* (Soesterberg, 2002)

Deys, H.P. *De Gelderse Vallei. Geschiedenis in oude kaarten.* (Utrecht, 1988)

Diepeveen, H. *De Oude- of St. Salvatorkerk. Geschiedenis van de Oude Kerk en de Markt te Veenendaal.* (Veenendaal, 1986)

Gaasbeek, F. en 't Gilde-Balk, G. *Bunschoten. Geschiedenis en architectuur* (Zeist, 1992)

Hof, Jan van 't *Veenendaal geschiedenis en architectuur* (Zeist, 1992)

Kamps, P.J.M. *De Pantherstellung. Een Duitse verdedigingslinie in de Gelderse Vallei.* (z.p., z.j.)

Jacobs, I.D. *De evacuatie van de Rhenense bevolking in mei 1940.* Uit: 'Geschiedenis van Rhenen' (Utrecht 2008)

Koolhaas Revers, J. *Evacuaties in Nederland* (Den Haag, 1950)

Laansma, S. *Schansen Oorlogen Soldaten* (Zutphen, 1989)

Olde Meierink, B. *Het Koningshuis in Rhenen. Een paleis voor asielzoekers in de Republiek.* Uit: 'Geschiedenis van Rhenen' (Utrecht 2008)

Renes, H., *Leusden. Geschiedenis en architectuur* (Zeist 1998)

Rietberg, B. *De Grebbelinie. Een Cultuurhistorisch gids.* (Utrecht 2004)

Rietberg, B. *Tijdlijn in de Gelderse Vallei.* Gebiedsvisie voor de Grebbelinie. (Utrecht 2006)

Rietberg, B. *De aanleg van het Hoornwerk met Bastions. Rhenen als onderdeel van de Grebbelinie.* Uit: 'Geschiedenis van Rhenen' (Utrecht 2008)

Schoemaker, L. *De stadsverdediging van Rhenen omstreeks 1530. De verdedigingswerken van een grensstad.* Uit: 'Geschiedenis van Rhenen' (Utrecht 2008)

Stades-Vischer, E. *Woudenberg. Geschiedenis en architectuur* (Zeist, 1999)

Termorshuizen, K. en Wassink, J. *De Eem, verborgen rivier* (Barneveld, 2007)

Veld H. van 't *Canon van Veenendaal.* (Veenendaal, 2009)

Vogelenzang, F. *Rhenen in de Bataafse Tijd.* Uit: 'Geschiedenis van Rhenen' (Utrecht 2008)

Will, P. *Veenendaal, straat in, straat uit. Betekenis en geschiedenis van de Veenendaalse straatnamen.* (Veenendaal, 2000)

Visser, A.R. *De Grebbelinie in Vogelvlucht* (Zeist, 2003)

Vries, J.E. *Hoe en waarom van Slaperdijk en Grebbelinie* (Renswoude, 1990)

Wolleswinkel, E. *Renswoude. Geschiedenis en architectuur* (Zeist 1998)

Wolleswinkel, E. *Dorpsstraat ons dorp. 375 Jaar Renswoudse bewoningsgeschiedenis.* (Barneveld, 2009)

Illustratieverantwoording

Bundesarchiv-Militärarchiv, Freiburg: 11
Nationaal Archief, Den Haag: 5, 7
Het Utrechts Archief, Utrecht: 8, 51 (onder)
NIOD, Amsterdam: 27
D. Bode, Zwijndrecht: 43 (onder)
Collectie Stichting Grebbelinie, A.R. Visser: 54 (midden),
    59 (onder), 67 (boven)
G. van Geffen, Leusden: 57, 75 (boven), 98 (midden)
C. de Graaf, Waterschap Vallei & Eem: 98 (onder)
Familie Hueber, Bennekom: 9
T. de Nijs, Waterschap Vallei & Eem: 62 (boven), 67
    (midden), 75 (midden)
B. Rietberg: 4 (boven), 6, 12, 13, 16, 17, 18, 19, 22, 23,
    25, 28, 29, 30, 31, 35, 36, 37, 39, 40, 43 (boven), 44,
    45, 46, 47, 51 (boven), 52, 53, 55, 54 (onder), 59
    (boven), 60, 61, 62 (midden, onder), 63, 65, 66, 67
    (onder), 69, 72, 73, 74, 81, 82 (boven, midden), 83
    (boven), 84, 85, 89, 90, 91, 92, 93, 95, 97, 99, 101,
    103, 103 (onder), 105
H.J. Rietberg: 54 (boven)
T. Smeding: 4 (onder), 77, 79
J. Vellinga, KNBLO-NL: 75 (onder), 82 (onder), 83 (onder),
    98(boven), 104 (boven)

Colofon

Wandelgids Grebbeliniepad is een uitgave van
Uitgeverij Waanders

Vormgeving: Frank de Wit
Druk: Drukkerij Waanders Zwolle
Route: KNBLO-NL (Johan Vellinga)
Kaarten: Cartografie Provincie Utrecht
De kaarten zijn gebaseerd op de topografische gegevens
van de Dienst voor het kadaster en openbare registers in
Apeldoorn.

Deze uitgave kwam tot stand op initiatief van het projectbureau SVGV. De gids werd mogelijk gemaakt met
financiële bijdragen van de Provincie Utrecht en het
Waterschap Vallei & Eem. De gids en het wandelpad
kwamen tot stand met medewerking van de KNBLO-NL,
Staatsbosbeheer en het Utrechts Landschap.

ISBN 978 90 400 7664 0
NUR 502

Meer informatie over de Grebbelinie is te vinden op
www.grebbelinie.nl

Informatie over Uitgeverij Waanders is te vinden op
www.waanders.nl